〈知的〉スポーツのすすめ

スキルアップのサイエンス

ENCOURAGEMENT of INTELLIGENT SPORTS: The Science of better Performance

Senshi Fukashiro

深代千之［著］

東京大学出版会

Encouragement of Intelligent Sports:
The Science of better Performance
Senshi FUKASHIRO
University of Tokyo Press, 2012
ISBN978-4-13-053700-1

はじめに

大リーグで活躍するイチロー選手の巧みなバッティング、サッカーの鮮やかなダブルシザースフェイント、マイケル・ジョーダンの空中遊泳のようなジャンプシュートなどなど、スポーツのトップ選手のパフォーマンスは動きの芸術といっても過言ではありません。このようなスポーツでみられる芸術的な動きは、どのような過程を経て構築されるのでしょうか。生まれもった遺伝なのか、それとも練習によるものなのか。本書は、スポーツや日常動作にみられる「器用・不器用」、「うまい・へた」といった巧みさ・スキルを、スポーツ科学の中のバイオメカニクスを基に、読み解いていこうとするものです。本書を読み進めれば、どんな巧みな動作も、生後の練習つまり環境によって培われたものだということを理解してもらえるはずです。

巧みさやスキルに関して、諺の「昔とった杵柄」に代表されるように、自転車に一度乗れると一生乗れるとか、子どもの頃にやったお手玉を数十年ぶりにやってもうまくできるといった現象は、誰でも一つや二つ思い当たることがあるでしょう。このような「杵柄」現象は、「身体が覚えていた」と評されることもあります。このときの「身体」がどの部分かというと、一般に筋肉と思われがちですが、筋肉に記憶能力はないので、実は「脳」ということになります。スポーツの中の巧みな動作も、机の上の勉強の九九や漢字を覚えるのと同じ、脳の記憶なのです。

本書の序章では、まずスポーツ動作のスキルも「脳の働き」によるということをウォーミングアップとして説明し、そして第Ⅰ部では、様々なスポーツを成立させている基礎動作の「走る・跳ぶ・投げる・打つ」に関する、動きのメカニズムを最新の研究成果を基に解説します。巧みな動きの構築について、理屈で理解してもらいたいという意図です。ただ、理屈で理解しても、なかなか具現できないのが実情です。そこで、巧みになるためのドリルを、それぞれの章の動きの解説の後に加えてあります。

第Ⅱ部では、最初に、運動をコントロールする「脳のメカニズム」を、記憶・反射などの観点から解説します。そして、運動がダイナミックになるほど成績に大きく影響する「骨格筋の性質」を、性差・筋線維タイプ・テコ作用・腱のバネ機構などから説明します。その中には、エネルギー消費量を基にダイエット効果について検証する節も設けました。最後に、バイオメカニクス理論からみた「理想の動き」を、体幹・筋感覚・骨を伝わるパワー・スケール効果などの観点から読み解いていきます。

文系・理系、プロ・アマチュア、大人・子どもを問わず、本書を読めば、巧みさ・スキルの獲得に関して、まちがった常識の誤解を解くことができ、溜飲が下がると確信します。そして、その理論に基づいて実践すれば、誰でも、昨日の自分より、また一カ月前の自分より、必ず巧みになれると私は断言します。本書は、スポーツを考えて行う「〈知的〉スポーツのすすめ」なのです。

目　次

Ⅰ 走・跳・投・打——巧みになるために 19

目次

コラム

序章　巧みさ・スキルを育む

ボールを巧みにコントロールするダブルシザースフェイント．
まるでボールが足にくっついてるようにもみえます．

私たちは、一度自転車に乗れるようになると、何年乗っていなくとも、いつでもまた乗ることができます。この自転車乗りと同様に、小学生のときに泳ぐことができた人が、定年後また水泳を再開してもちゃんと泳げる、あるいはケンダマ・ベーゴマ・お手玉、……こんな昔遊びを、お年寄りが何十年ぶりかにやってみても上手にできる、といったことがあります。このような現象をまとめると、一度覚えた動作は生涯保たれるということになります。

どうしてこのような現象が起きるのでしょうか。よくいわれるのは「身体が覚えていた」ということです。といっても、身体の中で注目されがちな筋肉には、動きを記憶する仕組みはないので、これは「脳の記憶」となります。つまり、身体が覚えていたというときの身体は脳ということになるのです。運動やスポーツにも脳が大きく関わっているのです。

本章では、まず器用・不器用についてのメカニズムを理解していただき、巧みさは遺伝が効いているという、一般にいわれている俗説の誤解を解き、様々な動作を巧みにこなせるようになるための、頭の準備をしていただきたいと思います。

1　器用・不器用は遺伝か？

手先の器用な人、つまずいてもケガをしないように転ぶ人、球技スポーツでボールの扱いがうまい人、ちょっと練習するとすぐに技を覚えてしまう人。逆に、文字がへただったり、何のスポーツをさせてもうまくいかない人、練習させてもなかなか覚えない人。日常生活の中の身のこなしやスポーツ動作には、このように「うまい、へた」が必ずあります。これらの動作はすべて、自らの意思で行う「随意運動」といいますが、一般に、あることをやろうとして、思うとおりにできることを「上手」、やろうとしているのに思うようにできないことを「下手」といいます。このように、「うまい、へた」の評価は相対的、主観的なものなのです。この「うまい、へた」をスポーツ科学の分野では、巧みさ、スキル、巧緻性、調整力、協応性、器用さ、技能、技術、コツという言葉で表しています。本書では「巧みさ」と「スキル」という言葉でこの能力を代表させますが、この巧みさは、生まれもった遺伝によるものでしょうか、それとも生まれてからの練習、つまり環境によるものでしょうか。講義や講演会で聴講者に意見を聞いてみると、東京大学の学生も含めて多くの人が、遺伝が関わっていると信じているようです。

しかし、自分の身体のことをよく考えてみてください。私たちは利き手と非利き手があります。日本では一般に、小さい頃に左手で箸を使っていると、右手でもつように親に直されます。その結果、多くの日本人が右利きとなります（図0-1）。そして、日本社会は、右利きに都合のよい「右利き文化」でできています。右利き用の裁縫バサミを左手で使おうとすると指がとても痛く切りにくいし、駅の改札のICカードのタッチ部分は右側にあって右利きの人に便利なようにつくられています。ですが、右利き文化の日本でも、例えば利き手の右手を骨折したり、あるいは事故で右手を失ったりした場合には、左手で練習をします。そしてしばらくすると、左手を利き手のように巧みに使うことができるようになります。つまり、利き手・非利き手は、生まれつき決まっているものではなく、生まれた後の練習によって決まってくるものだということです。様々な動きの巧みさも、練習によって後天的に獲得されるものだということを、まず理解してください。

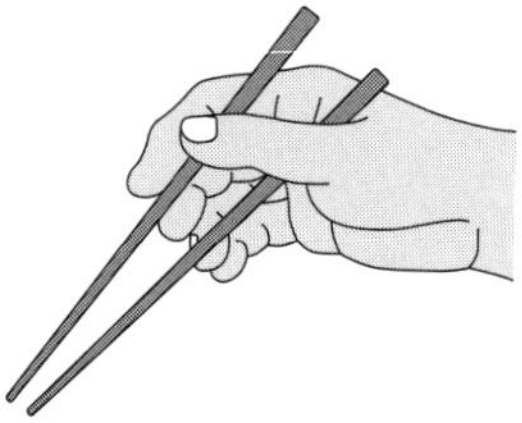

図0-1　利き手と非利き手は生まれた後の環境で決まります．右手で箸を使うのは，小さい頃からの練習の成果なのです．

子どもたちにいろいろな運動をさせてみると、いわゆる運動神経のよい子、カンのよい子がいます。それは、その子どもたちが生まれてからその時点までに、様々な練習をして数多くの巧みな動作の一かたまりのパックを脳に格納していて、それを適切に引き出して使っているからなのです。けっして、生まれつきカンのよい子はいないのです。これは、大人であっても、もちろん同様です。

以上より、器用・不器用は遺伝ではないということを認識していただいたうえで、本章で科学的に説明する巧みさを理解し、そして獲得してほしいと願っています。

2　巧みさ・スキルとは？

スポーツの中で、「これはうまい」という、巧みさがよく表れる動作には、次のようなものがあります。

（A）エイミング＝狙ったところにボールを投げたり、蹴ったりする能力です。野球のピッチャーはもちろん、バスケットゴールと遠い位置からの三ポイントシュート、サッカーのフリーキックでゴールを狙う動作などです。アーチェリーや、ゴルフのパッティングもこのカテゴリーです。また、アメリカン・フットボールで、レシーバーが全力で走っているところに予測をしてボールを投げることもこれに含まれます。

（B）キャッチング＝野球やサッカーにみられる動いているボールを捕球する能力です。野球の外野手がフライの落下地点を予測して後方に全力疾走してフェンスを駆け上がって捕球する（図0-2）、サッカーでゴール前に上げられたボールをヘディングシュートするなどです。

（C）ヒッティング＝野球のバッティングや、テニス・卓球のストロークなどの打動作で、相手が打ちにくいボールを放ったにもかかわらず、巧みにヒットする能力です。

（D）フェイント＝バスケットボールやバレーボールでよく使われます。このフェイントは、相手の予測した動作と異なる、換言すれば裏をかく動作です。

図 0-2　ナイスプレーは様々な能力の組み合わせ.

（E）マルチ・コントロール＝体操競技やフィギュアスケートなどのように、手や指や脚などの多数の関節が同時にコントロールされる動作を指します。個々の巧みな動作の集合体として表れるもので、身体の芸術といっても過言ではありません。

スポーツ科学でいう「巧みさ・スキル」は、一般に次の三つの要素によって決まってきます。

（1）環境把握と予測能力
（2）正確さ

（3）素早さ

この中の（1）は主に身体への入力系の能力、（2）と（3）は身体からの出力系の能力といえます。それぞれについて、詳しく説明しましょう。

（1）環境把握と予測能力＝これは、目で見る、耳で聞く、皮膚で触れる、地面からの反力を感じ取るといった情報を集合させて、やろうとしている動作の周りの環境を把握する能力です。身体の器官でいうと、視覚、聴覚、皮膚感覚、運動感覚などの感覚能力です。この環境把握を基にして、やろうとしている動作が望ましい状態になるように予測・調整するのですが、この予測はフィードフォワード制御といいます。

（2）正確さ＝これは身体全体を、強さ・時間・空間の調整によって適切に動かすことです。強さの調整は、運動に必要な力やスピードなどの出力を適切な強さに調節する能力、つまり力の出し加減の調節で、グレーディング能力といいます。時間的調整は、適切な時刻に力を出す能力で、タイミング能力です。そして、空間的調整は、どの筋群の力を発揮させるかという空間的配列を調節する能力です。これは、手足をどのような位置に置くか、そしてどの順序で力を発揮していくかという能力で、スペーシングあるいはポジショニング能力といいます。

（3）素早さ＝素早く運動を開始する、または素早く運動を切り換える能力です。これは神経系とともに、効果器である筋の出力が大きく影響しています。

これら三つの要素が様々な比率とバランスで組み合わされて、巧みな動作が成り立っているといえます。例えば、人間は、初めて行う運動でもその運動にちょうどよい力を発揮することができます。ご飯茶碗を持ち上げるのに一〇キロのダンベルをもつような力を発揮する人がいないように、人間は適切な力を予測してから運動を起こします。この調整は、それまでの経験を基にした状況把握能力の予測（フィードフォワード制御）が強く関わっています。そして、一度筋力を発揮したら、筋からの情報（フィードバック信号）を確認しながら、運動のグレーディング、タイミング、スペーシングを再調節し、巧みな動作を構築していきます。そして、その動作を繰り返し練習することによって、予測、正確さ、素早さの精度を上げていきます。それを極めたものが、様々なスポーツ選手の芸術のような動きにつながるのです。

3 うまくなるための七つのルール

私たちは、歩くとか走るとかの日常動作を、右足の次に左足を出してなどと考えて行ってはいません。このような自動化された無意識な動作も、発語や発話、文字や九九などの習得も、生後開始された練習によって徐々に獲得されてきたものです。

この随意運動の上達は、一般的に「コツをつかむ」という言葉で表現されてきました。このコツは主観的なものなので、十人十色、人それぞれによってとらえ方が違います。それでも多くの人に共通するポイントがあって、本書はそれを科学的に解説していこうとしています。コツとは、身体全体の一連の動きの中でキーとなる動きを指します。コツとなる動きを意識して行うと、動きがなめらかになったり、速く走れるようになったりするというように、よいパフォーマンスをあげるための要点というわけです。このコツをつかむための手段としては、コーチなど他人からの助言であったり、自らの動作を観察するビデオ利用であったり、自らの身体感覚を基にした技法であったりします。

練習によって様々な巧みさを習得することを運動学習といいます。この巧みさを向上させる方法について、科学的にまだよくわかっているわけではありません。しかし、局所運動の心理学的研究は、スポーツの運動学習におおいに参考になるものがあります。大築立志博士がまとめた七つの原理を基に、解説しましょう。

まず、簡単に要点をまとめると、以下の七つになります。

(1)とにかく繰り返そう
(2)練習の目的を考えよう
(3)時には休みも必要
(4)うまくいったら続けよう
(5)練習していないときもイメージづくり
(6)よい動作は応用してみよう
(7)結果をよくみて直していこう

次に、その内容を詳しく説明しましょう。

（1）反復＝巧みさを向上させるには、疲労しすぎない程度に繰り返し同じ動作を行うことが大切で、やり始めにたくさん練習するのがよいとされています。

（2）目的意識＝この動作を習得するのだという明確な目的意識をもって練習を行うと、漫然と動作を繰り返すだけに比べてずっと練習効果が高まります。

（3）レミニッセンス＝練習を休止した後に再開すると、練習していないにもかかわらず休止直前より成績が向上していることがあります。この現象をレミニッセンス効果といって、特に集中的に練習をした後の休息後に顕著に起こります。同じ練習を続けていると練習効果があがらなくなることがありますが、そのような場合には思い切って練習を休み、気分転換を図ればレミニッセンスが起こり、意外な記録の向上が得られる可能性があるというわけです。

（4）オーバーラーニング＝ある課題を練習している場合に、初めてうまくいった、つまり合格基準を達成した後さらに続けて練習を行うことです。うまくできたところですぐ練習をやめてしまわないことが大切で、さらに繰り返すことで脳の中の神経パターンを確実に構築するのです。

（5）イメージ練習＝実際に身体を動かさず、習得しようとする動作を、自分があたかもそれを行っているつもりになって、頭の中でイメージを描くことです（図0-3）。イメージ練習はまったくの初心者よりも若干の経験がある者に対して有効で、実際に体を動かす練習と併用する、例えば一回動作を行った後、それについて頭の中で復唱するといったことを行うと効果が増すといわれています。畳の上で水泳の動作を練習することは、一回泳ぐことができてからならば意味があるというわけです。

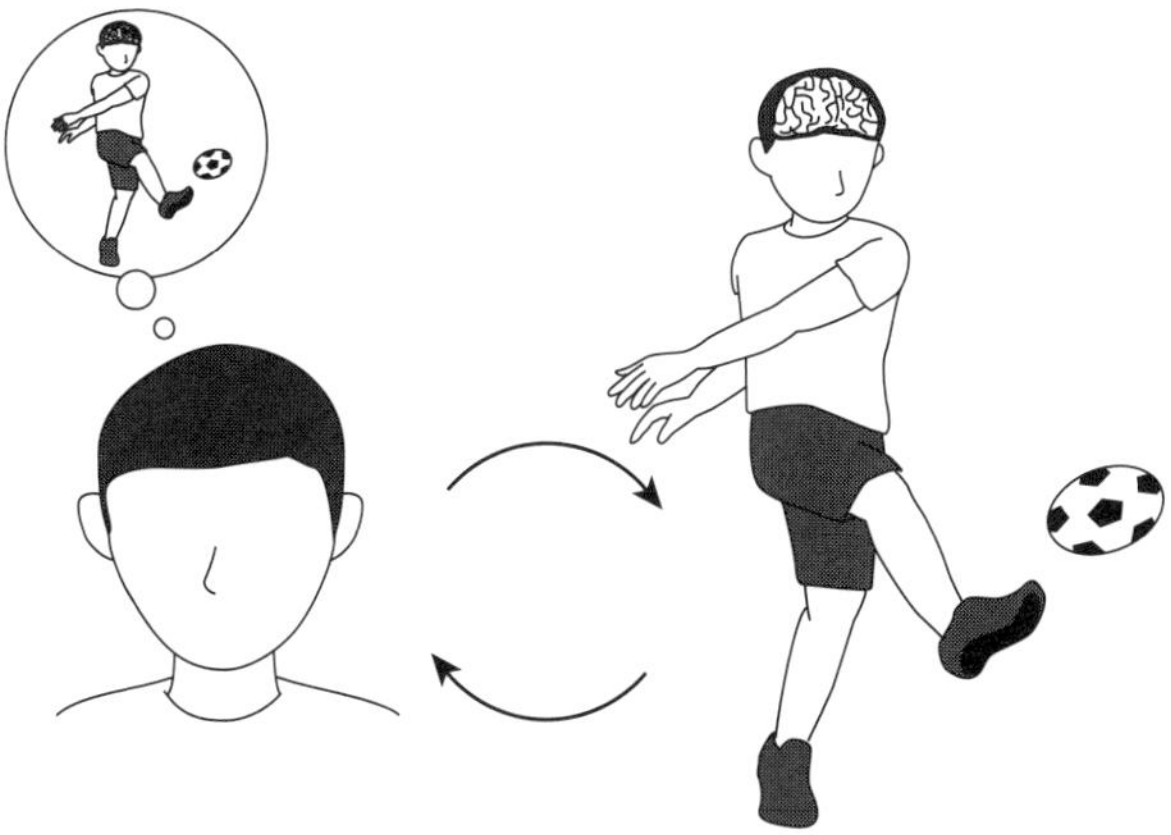

図 0-3　イメージ練習．運動も考えながら練習すると効果的です．

ただし、テニスや卓球などのサーブ、バスケットボールのフリースロー、器械体操などのように自分の責任だけで実行できる動作に対してはイメージ練習がとても有効ですが、テニスのストロークのように相手への対応が必要で、自分一人の責任だけでは実行できない動作には効果が小さいといわれています。

（6）転移＝ある一つの技能を習得することによって、その後に行われる別の技能の学習が影響を受けることを、学習効果が転移するといいます。正の転移としては、例えば硬式テニスがうまい人は、その打つスキルをゴルフスウィングに応用できます。逆に先の学習が後の学習を阻害するような転移を負の転移といい、例えばバドミントンで手首を使うショットが身についている人が硬式テニスをすると、手首を使いすぎるなどがそれにあたります。運動学習においては、先の練習が後の練習に役立つように、つまり正の転移が連続して生じるようにプログラムを組み立てることが重要になります。

（7）フィードバック＝自分の動作自体や動作の結果に関する情報を基に、自分が正しい動作を行っているかどうかを確認することは、練習効果をあげるために非常に重要です。動作者に対して動作の結果に関する情報を知らせることをフィードバックといいます。これには、ビデオ撮影を用いて観察することなどがあります。ただし、モニターに映っている動作を、動作者本人の筋感覚という主観に置き換えられないと、タイミングがずれたりすることがあるので、注意が必要です。

4　芸事は六歳の六月六日から

スポーツをはじめ、歩行や習字などの随意運動は、練習によって上達します。読者の皆さんは、練習とトレーニングの違いをご存知ですか。スポーツ科学では、脳・神経系を改善する、つまり巧みになる働きかけを「練習」といい、筋力や呼吸循環器系の持久力を向上させる、つまり体力を高める働きかけを「トレーニング」といいます。体力はトレーニングによって徐々に向上していきますが、技術改善は練習を続けていると突然できるようになる、つまり「ひらめく」ことがあります。自転車が突然乗れるようになったとき、あるいは鉄棒の逆上がりができるようになったときのことを思い出してください。このひらめき、つまり一回できるようになるまで練習することこそ、巧みさの獲得には大切なのです。何回練習しても一回できる前にやめてしまっては意味がないのです。巧みさを獲得するための練習では、この点が、回数を重ねると効果があるトレーニングと異なるところなのです。

この練習とトレーニングを、学校の主要五科目に当てはめてみると、興味深い対比ができます。つまり、着実に知識を積み上げなければならない語学や歴史は、階段を昇るような「トレーニング」、解がわかるまでやらなければ理解できない数学や物理は、ひらめくまでやる「練習」に類似すると思うのです。

ところで、人間の運動は、一般に歩・走のように先天的に獲得される系統発生的な運動と、投・泳のように学習があって初めて成り立つ、つまり後天的に獲得される個体発生的な運動に大別できます。しかしながら、この両者は明確に区別されるものではなくて、多くの運動は先天的（遺伝的）および後天的（環境的）要因が複雑に関わりあって成り立っています。先天的要因は究極的には遺伝子に帰するので、遠くは人類二〇〇万年の歴史を受け継ぎ、近くは両親から各個人が受け継いでいます。そして、先天的要因が強く働くものは体格で、動きを伴うようになるとしだいに、育ちの違い、つまり後天的影響をより強く受けると推定されています。

先天的あるいは後天的影響を知るには、双生児研究がもっとも有効な手段の一つです。これまでの双生児研究では、体格・運動能力・持久力・筋線維組成といった量的因子は先天的影響が強いけれども、一方の動作自体すなわち遺伝の質的因子はそれほど影響が強くないと報告されていました（双生児研究については、第6章2節も参照してください）。そこで、中学生一卵性双生児の走り幅跳び動作を比較したところ、踏み切りにおける四肢の動作、そして空中や着地の姿勢は対間でかなり類似していることがわかりました。動きを伴う質的要因でも、特別に違う生活環境におかない限り、やはり遺伝の影響を受けているのです。

以上より、動作の巧みさは体格や運動能力といった量的因子ほどではありませんが、走や跳の動作でも遺伝的影響が存在するといえます。これら遺伝的影響をもつ動作に対しても、指導による改善、つまり「先天的要因の支配から抜け出し、いかに後天的要因の影響力をもたせるか」、そこに教育の意義があるといえます。自分でいろいろ試してみると、自分の身体で変えやすいものと変えにくいものがあることもわかってきます。こういった自分の身体の可塑性を小さい頃に知っておくことは、様々な運動にチャレンジするとき、あるいはスポーツ種目を決めるときにとても役に立ちます。

子どもの発育段階において、身体の各機能には、それぞれ著しく発達する時期があります。スキャモンの発育曲線によると、神経系の発達は脳・脊髄・眼球や頭部の大きさに関係していて、六歳までに成人の九〇パーセントの発育を遂げるといわれています。四〜五歳までは主に立ち上がる、走るといった脚の大きな筋肉を使う運動の発達が著しく、五歳以後は箸をもったり、文字を書いたりする小筋群の微細な調節の発達が目覚ましくなります。これは五歳くらいの時期に徐々に神経支配が精緻になっていくことを示唆しています(図0-4)。神経細胞(ニューロン)の数は、生後数カ月および老化による死滅を除くと、一生変化しないので、成長に伴う脳の重量変化の主原因はニューロンの数の増加ではなく、細胞体から出ている手足のような樹状突起や軸索の分枝の増加と考えられます。したがって、巧みな動作の練習は、脳の樹状突起や軸索が発達するできるだけ早い時期に始めるのがよい

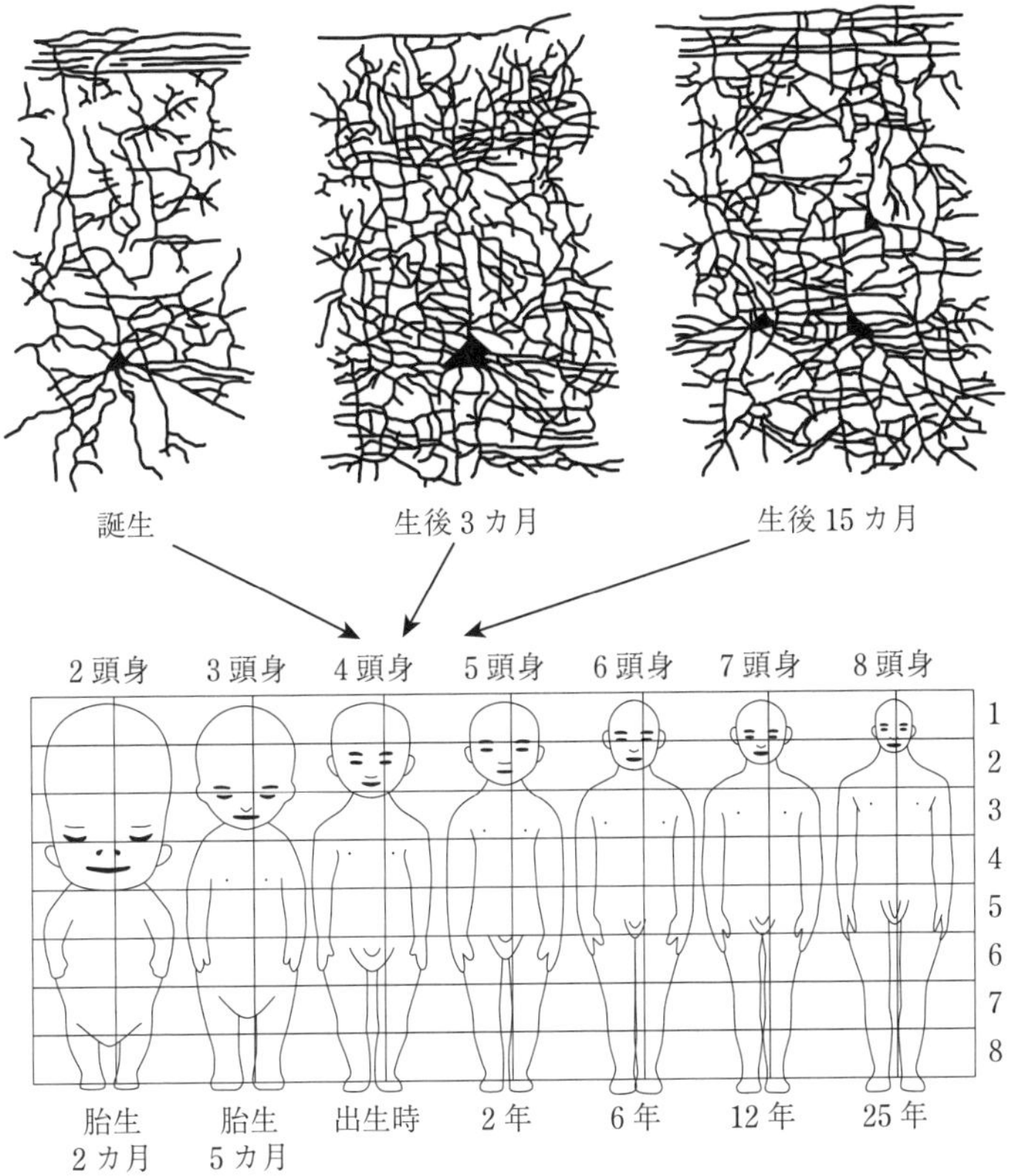

図 0-4　発育と大脳の神経細胞の発達（上図，時実利彦『脳の話』岩波新書，1962 に加筆）．身体の器が大きくなるに伴い，脳の中の神経細胞も急激に増えていく様子がわかります．

といえます。そして、様々な運動を経験し、できるだけ多数のシナプスの伝達効率をよくしておくことが、発育期や成人になってからの運動の「うまい、へた」を大きく左右すると考えられるのです。音楽や芸術における「芸事は六歳の六月六日から」など、小さい頃から始めることが大切という諺が多くあるのは、このことを推定しているのです。

5　身体技法の活用

動きのコツをつかむために、日本古来の身体技法を用いることも、一つの方法としてあげられます。日本の身体技法の特徴は、腕の動きと体幹の動きといった身体のつながり感覚に基づいて「目的とするところからあえて違うところを意識する」ことによって起こしたい動きを導くというものです。この技法では、全身をうまく使わざるをえない身体の使い方を「しぼる」「膝を抜く」「腰を入れる」など、その動きを導出するのにふさわしい動詞で表現します。これらの言葉の創出は、歴史的にみると、『解体新書』（ドイツ人医師クルムスの医学書のオランダ語訳『ターヘル・アナトミア』の邦訳、一七七四年）が刊行される以前のことです。つまり、解剖学がなかった時代に経験的に見いだした実践知であり、身体の部位を「何となくそのあたり」と認識し、関節の位置や働きを知識として知らなくても、誰もが技法でいうところの部位を意識することによって、起こしたい動きが起きる手法を見つけてきたといえるのです。動きの「コツ」を骨ととらえ、四肢の動きであっても、骨格全体を参加させる方

図 0-5　日本古来の技法を参考にしてみることも，時にはよいアイデアになるかも？

法を見いだすのも、この流れと考えてよいでしょう。

このように、意識や感覚を基にした主観で、立つ・歩く・走る・投げるなどの様々な動作をつくり直すと、「これだ！」と気づき、動きが改善されることがあるのだと思います。しかし、その動きが本当に以前と比べて改善されているか否かは、客観的な視点でみなければわかりません。すなわち、人間の動きの構築を意識や感覚という観点で試してみることと同時に、出力された運動の結果を、自然科学的な視点で客観的にとらえることをあわせて行うことが必要なのです。

身体技法を身体文化の一つとしてとらえてうまく活用し、その一方で自然科学的に評価するという複眼的な見方をしてこそ、身体技法が今日的に意味づけられて様々な場面で生きてくると考えられます。

コラム　巧みさを大事に育てる日本の文化

江戸時代の日本は、世界有数の教育国で、文書行政が徹底され、全国で約二万の寺子屋が整備されていました。寺子屋では一般に、習字と読み書き・そろばんを基本に、地理・歴史・道徳などが教育され、女子には、華道・茶道・裁縫が教えられたといわれています。

また、武士（藩士）を教育するための藩校も各藩に整備されていました。藩校の隆盛期には、ほぼ全藩に設立され、全国で二〇〇校以上もあったといわれています。代表的な藩校としては、会津藩の日新館、水戸藩の弘道館、長州藩の明倫館、中津藩の進脩館、薩摩藩の造士館などがあります。ほとんどの藩校の日課は、午前には机に座って弓術・馬術・剣術・兵学・薬学・算術・天文方などを勉強し、そして午後には柔術・水練・砲術などの実践がつねに課せられていました。文字どおり、文武両道だったわけです。

教育の中で、身体運動に注目してみると、修業して「技」つまり巧みさを身につける文化が育まれていました。例えば、日本人が使用する箸は二本の単なる「棒」だけで刺す・切る・すくう・つまむなど様々な使用ができます（一器多様）。日本の道具はある目的に特化していないために、一見不完全な道具にみえるのですが、その道具を使いこなす技を身につけることで、幅広い局面で高い成果を得ることができるのです。技がないと使いこなせない道具として、和弓や日本刀などがあります。日本人は、運動に関して、脳の学習効果を狙った教育が徹底されていたともいえるのです。

一方の西洋は、技よりも効率的な道具を発展させてきた文化といえるかもしれません。例えば、西洋人が食事で使用するフォーク・ナイフ・スプーンは、それぞれ刺す・切る・すくうといった用途にのみ用いられ、一器多様とはいきません。例えば、利き腕を骨折してしまい、非利き腕で食事をしようとすると、技が必要な箸は使えませんが、フォークやスプーンは比較的容易に使えることを考えると、技と道具の東西文化比較が理解できると思います。

I

走・跳・投・打——巧みになるために

第1章　走る——より速くなるために

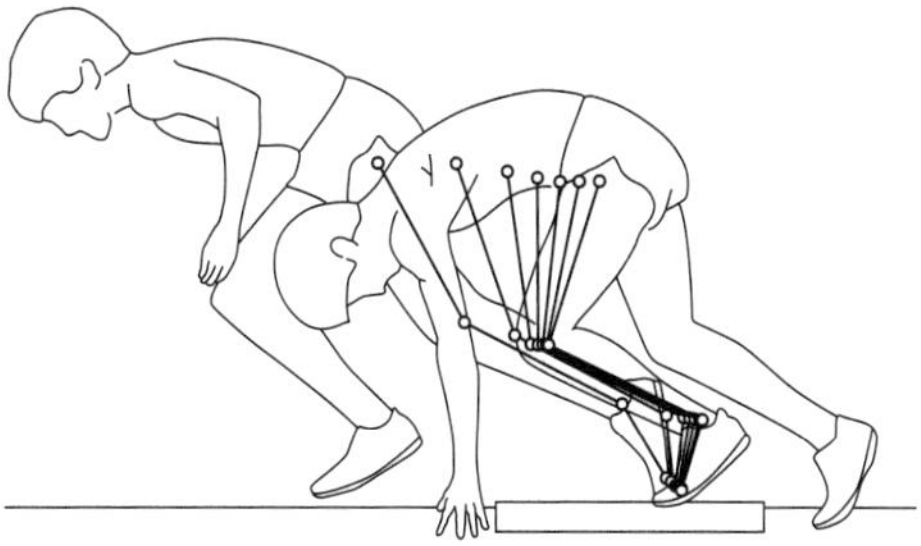

スタートダッシュのフォームと前脚の動き（Fukashiro, S., *Biomechanics XI-B*, G. D. Groot, *et al.* (eds.), Free Univ. Press：938-942, 1988）.

かけっこ、スプリント走といえば、運動会を思い出す人が多いと思います。運動会は、小・中学校の一大イベントとして、春や秋に必ずみられる日本の風物詩です。この運動会は日本だけの文化ですが、運動会が始まったのは明治時代。海軍兵学校で、イギリス人教師が始めたといわれています。その後、文部省（現在の文部科学省）が体育の集団訓練を奨励したため、全国に広がっていきました。当時は学校教育が始まったばかりで、広いグラウンドもなかったため、神社や寺の境内を借りて開催していました。そのため、運動会に各地域で開催される祭りの要素が加えられ、スポーツフェスティバルとして独特な形で発展してきたのです。

陸上競技の短距離選手はもちろん、運動会の徒競争の生徒でも、すべてのスプリンターにとって、より速く走ることは夢です。どうしたら、ボルト選手のように速く走れるのでしょうか。昔、学校体育や陸上部で教わった速い走り方の指導点は、モモを高く上げる、腰を高くして走る、腕を大きく振るなどでした。しかし、ここ二〇年の我々のバイオメカニクス研究によって、従来の走り方のポイントではない、速く走るための本質がわかってきました。本章で走り方の理屈を理解し、最後に載せたドリルで走りのスキルアップを試みてはいかがでしょう。必ず、以前の自分よりも速く走ることができるようになるはずです。このドリルは、陸上競技を専門にしている選手にも、運動会で一等を目指す親子にも、有効です。

1　スプリント走のスピードとキック力

スプリント走は、腕と脚それぞれの左右交互動作、上体と下体の捻り動作をうまく使うことによって、左右交互に地面を蹴り、地面反力を受け止めることによって身体を水平移動させます。まず一〇〇メートルスプリント走のスピード曲線をみてみましょう。図1-1は、現在、世界記録をもつウサイン・ボルト選手の北京オリンピック決勝のときの一〇メートルごとのスピードです。比較のために、タイソン・ゲイ選手、カール・ルイス選手、朝原宣治選手のスピード曲線も載せてあります。ボルト選手は三〇メートル地点ですでに毎秒一一メートルのスピードがあり、五〇メートル地点まで、ゲイ選手やルイス選手とほぼ同じスピードとなっています。ボルト選手が、他の選手ともっとも異なるのは、五〇メートルを過ぎてから最大スピードの毎秒一二・二〇メートルまで一気にスピードアップしていることです。このスピードは世界トップレベルのゲイ選手やルイス選手よりも毎秒〇・四メートルも速い値で、換言すると一〇メートルで約四〇センチの差がつくことになります。北京五輪の一〇〇メートル決勝ではボルト選手が突然ダントツに抜け出しましたが、スピードの差分はこのようなものだったのです。

このスピード曲線は大きく三つに分けることができて、スタート後速度が増加していく「加速局面」、速度が一定となる「等速局面」、疲労によって速度が減少する「減速局面」があります。前後方向の地面反力には、必ずブレーキとしてのマイナスとキックとしてのプラスの局面があります。このマイナスとプラスの面積を「力積」といって、プラスの力積がマイナスの力積より大きいと加速していきます。そして、各人の最大スピードになると、プラスとマイナスの力積が同じになり、等速走行となります。この等速の中間疾走で、マイナスの力積を小さく、つまりブレーキを少なくすれば、次のキック局面でそれほど大きく後ろに蹴る必要がないので効率よく前に進むことができます。ボルト選手は、この前後方向のプラスの力積が五〇メートルを過ぎても、プラスの力積のほうがマイナスの力積よりも大きかったといえるのです。

図1-2は、中間疾走での接地中のキック力、つまり地面反力の大きさと方向を、矢印のベクトルで示しています。左から1番目が接地直後、2番目が接地の衝撃によるブレーキ作用が大きな点、3番目は両膝が一致する時点、5番目がいかにもキックしているようにみえる点、6番目が離地時点です。

図1-2の左から1番目の姿勢で、着地足が腰の重心よりも前に着いていることを確認してください。よくコーチが「真下に着地しろ！」と言いますが、腰の真下に着地したら前につんのめって転んでしまいます。事実は、「なるべく」真下に着地しなさいということです。3番目の姿勢でキック力はほぼ真上に向かい、大きな力が作用していることがわかります。5番目のときには前方への加速成分が加わりますが、キック力は急激に減少し、6番目ではキック力の作用はありません。主観による錯覚で、5番目の姿勢のときにこそ力が入ると思って、後方に大きく蹴ってストライドを伸ばそうと

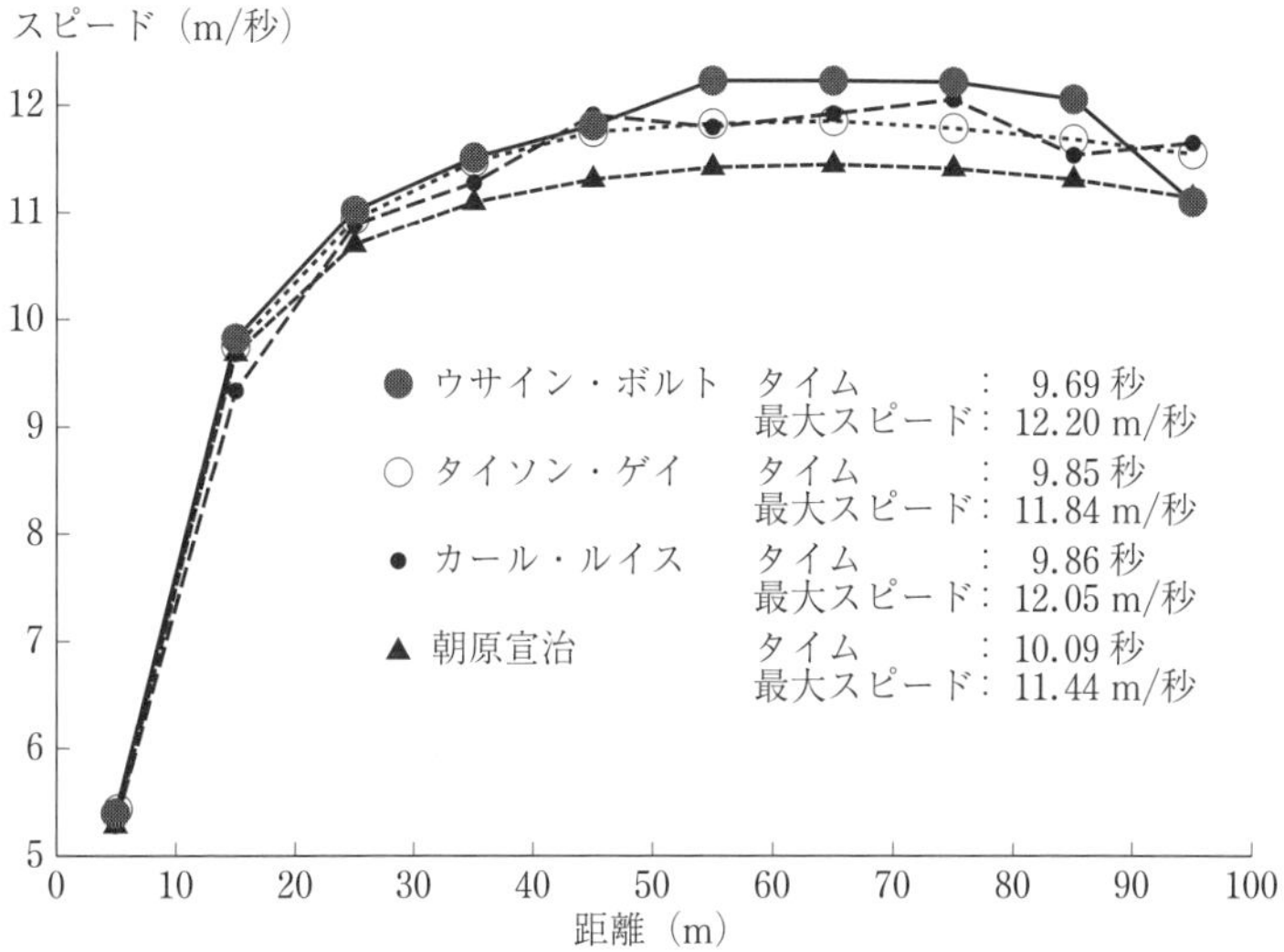

図1-1　100メートル走のスピード曲線（JISS松尾彰文研究員提供）．ボルト選手の50メートル以降の最高スピードは世界のトップ選手の中でも突出していることがわかります．

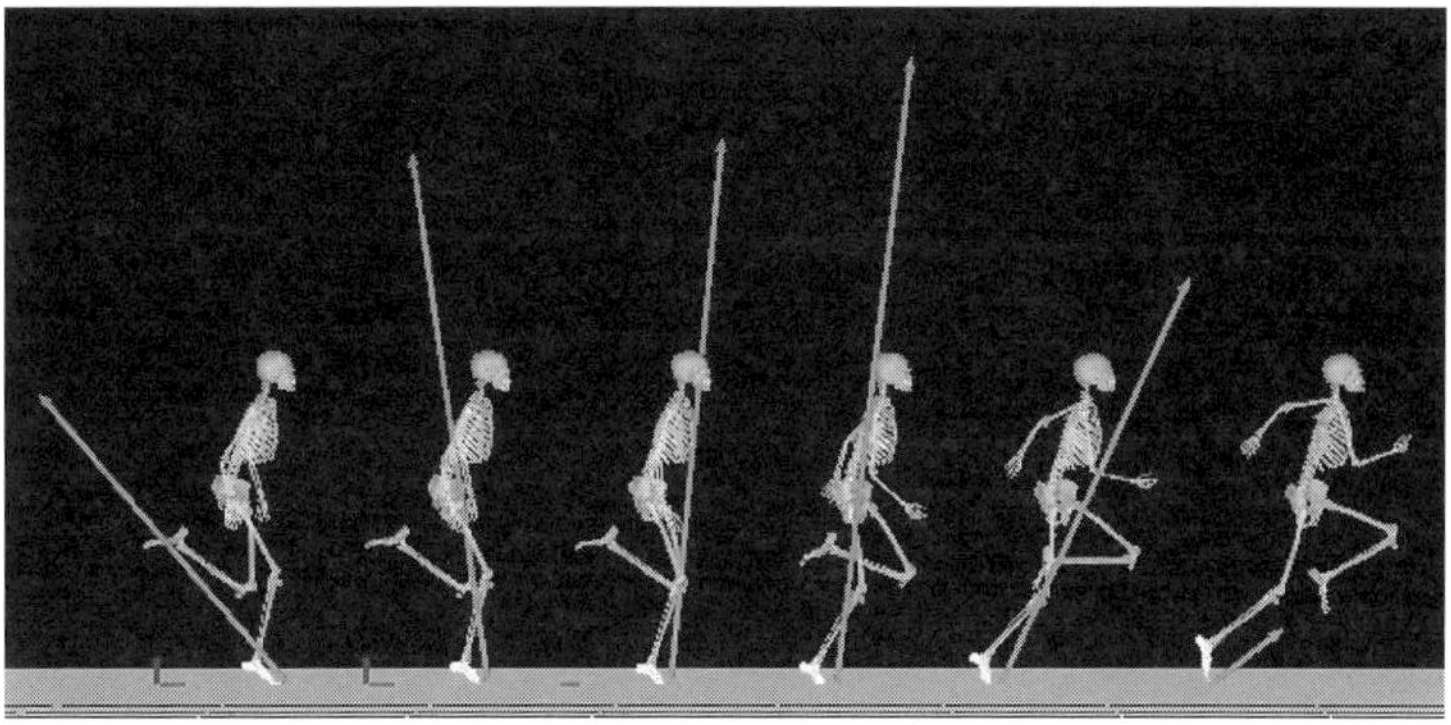

図1-2　スプリント走の着地中の地面反力ベクトル．着地前半ではブレーキとしての反力，着地後半にはキックとしてのプラスの反力がでているのがわかります．

すると、タイミングが遅れてスムーズなランニングフォームにはならないのです。このように地面反力をうまくコントロールすることによって水平スピードを高めるわけですが、図1-1でみられるボルト選手のトップスピードがなぜ高いのかを次節で解説します。

2 スプリント走の基本動作

我々のバイオメカニクス研究は、より速く走るためのスプリント走の本質を明らかにしました。その研究で注目した力学的変数は、走運動中の下肢三関節の回転力、つまり「発揮トルク」です。スプリント動作中に速い選手はどのように関節に力を入れて走っているかを動作分析によって明らかにしたのです。

スプリント走のメカニズムを解説する前に、なぜ昔はモモを高く上げるといった指導法が一般化されていたかということから説明したいと思います。コーチの観察やビデオ映像のように、外からフォームを見るということは、連続写真のような位置情報を基にしているので、これまで速く走る人のモモは高く上がっていたという情報でフォームが評価されていました。この位置情報を基にするというのが間違いの原因でした。人間は位置情報ではなく、筋力を発揮して動作をつくり上げるからです。筋力つまり力は、ニュートンの運動の法則（$F=ma$, F＝力、m＝質量、a＝加速度）から加速度と同等であり、位置の次元とは異なります。換言すれば、スプリント走のような周期運動では位置と加速

コラム　人間の運動能力の進化

人間の運動能力を端的に表す短距離走は、「競争という文化」によって発展してきました。競争の歴史は、古代ギリシャ時代にまでさかのぼります。その典型的な競技会は、ペロポネソス半島で行われた、主神ゼウスをまつる祭典競技オリンピア祭です。このオリンピア祭で、もっとも重要な種目の「競走」は、短距離走が約二〇〇メートル、長距離走が約一〇〇〇～四〇〇〇メートルの距離で争われていたといわれています。一二〇〇年間続いた古代オリンピア祭も、ローマ皇帝テオドシウスの禁止令によって終焉を迎え、以後スポーツは長い間、暗黒時代が続きました。古代オリンピア祭以来一五〇〇年を経て、フランスのクーベルタン男爵の提唱により、近代オリンピックが一八九六年にアテネで開催されました。この頃から、競争の計時が行われるようになり、一〇〇メートル走の優勝記録は一二秒〇でした。

人間の短距離走の記録は、年を経るにつれて、また五輪や世界選手権を重ねるたびに更新されています。一〇〇メートルの世界記録は、一九一二年の最初の公認記録一〇秒六から二〇〇九年の九秒五八まで短縮されました。つまり、一世紀で一秒、距離にすると一〇メートル速くなったことになります。この記録の更新は、主に、素質ある選手の発掘、効率的なトレーニング、競技環境の整備、社会的な環境の変化、によるということができます。逆に、競走が文化にならなかったら、今日のような走の発展はありませんでした。というのは、一三メートルを連続ジャンプするカンガルーが年々跳躍力を高めることもなく、また、一〇〇メートルを三秒で駆けぬける、陸上でもっとも早いチーターの疾走能力が年代とともに向上することがないように、人間が原始のままの生活であれば、疾走能力の向上はなかったであろうからです。

度が逆位相になって、タイミングが正反対になります。ゆえに、位置情報を基に力を発揮しようとすると、結果的にまったくタイミングがあわなくなるのです。これは、スプリント走のような素早い動作ほど顕著で、どこまでモモを上げるかといった位置目標をもってやっていてはダメだったのです。

そこで、速く走っている選手本人が、どのように筋に力を入れているかという情報を知る必要がでてきます。指導現場では、力の入れ具合を「筋感覚」という言葉で表しています。この力の入れ具合を客観的に知りえるのが、関節の回転力のトルクや筋張力を計算するバイオメカニクスの「逆ダイナミクス」を用いた動作解析です。この動作解析によって、速く走っているスプリンターの、下肢の関節が発揮している回転力（トルク）がわかれば、その情報を目標にして、筋感覚をコントロールすればよいということになるわけです。

その動作解析の結果を関節ごとにまとめると図1-3のようになります。足関節は接地時のみに働き、空中ではリラックスされています。膝関節は走運動中の地面をキックしている局面で伸展トルクを発揮しますが、それ以外はほとんど使われず、これまで考えられていた脚を後ろから前にもっていく「巻き込む」局面でも膝屈曲としては働きません。ただし脚を前に振り出したときに下腿が前に行きすぎないように屈曲のトルクを発揮します。これらに対し、つねに大きく働くのが股関節です。脚を後ろから前に振り出すときに、速く股関節を屈曲させればリラックスされた膝は自然に屈曲して下腿が巻き込まれます。このとき、大腿を高く上げるよりもむしろ「速く」上げる意識が重要となります。膝と足関節がリラックスしていて、股関節の働きだけで脚が前に振り出されると、外から見てい

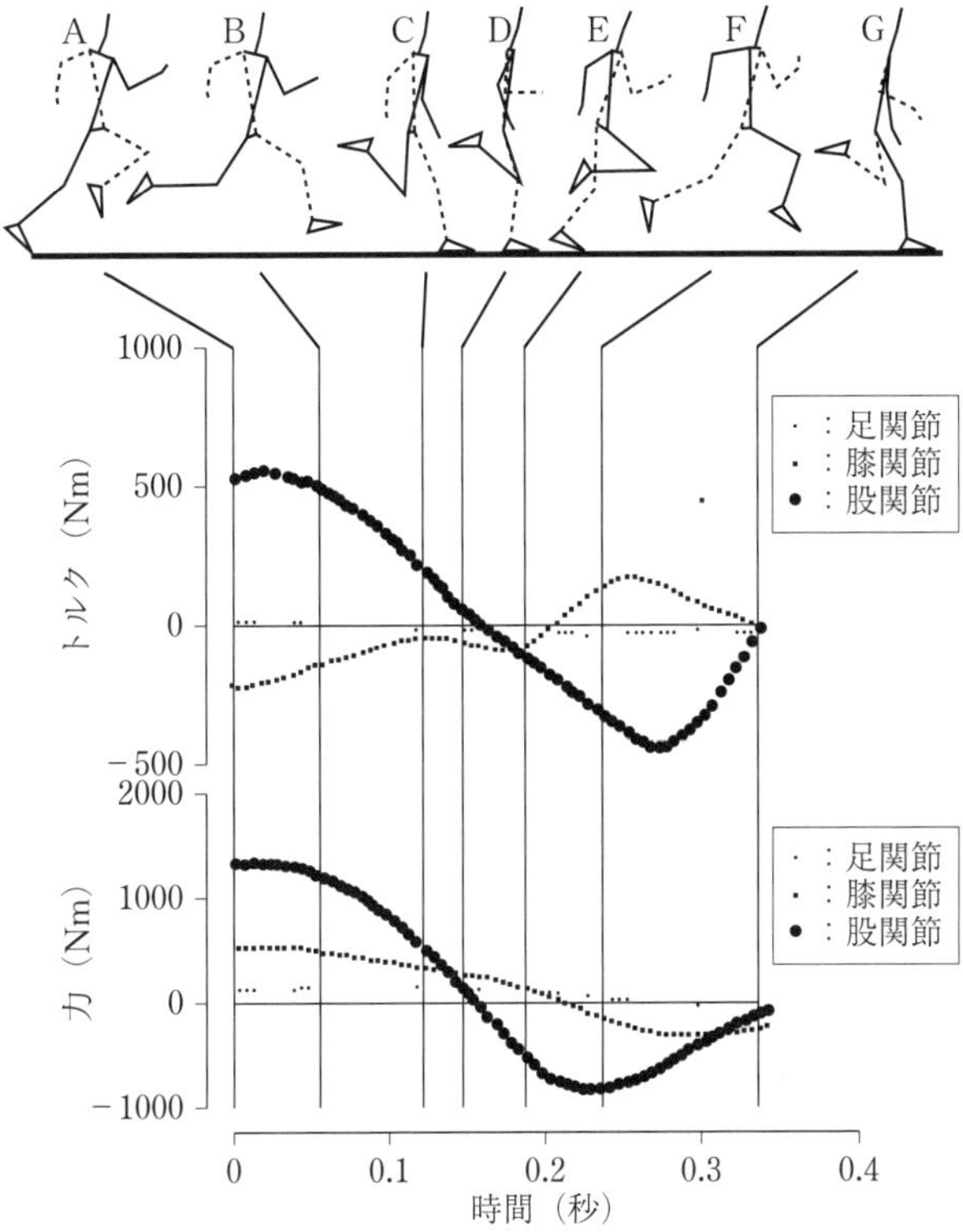

図 1-3　スプリント走の下肢3関節トルク（深代千之他「スプリント走における脚のスウィング動作の評価」『第14回日本バイオメカニクス学会大会論集』1999）．股関節の回転トルクと力が大きく働き，脚全体をスウィングさせているのが客観的にわかります．

る人は、あたかも脚がムチのごとく動くように見えるのです。その後、脚を前から振り降ろして接地しますが、接地中の脚は膝を屈伸しないで脚を一本の棒のようにして前から後ろに引き戻します。

これらの解析結果を基に、速く走るためのスプリント理論をまとめ直すと、①走動作の接地中に、接地脚は膝と足関節をほぼ固定して屈伸しないで、股関節の伸展のみで身体を前方へ移動させる。②振り上げ脚は股関節の屈曲だけで速く上げ、膝と足関節はリラックスさせる、となります。つまり、重要なのは股関節を中心にしたスウィング動作だったのです。

このように、目指す動作が具体的になれば、どの筋を鍛えればよいかということも明らかになります。①の振り戻しは大臀筋とハムストリングス、②の振り上げは腸腰筋が主に働く筋です。また、股関節回りの屈伸筋力が同じならば、脚の末端である下腿は細く軽いほうが速く動きます。アフリカ系黒人選手の下腿はスラリとしています。この体形は競走馬のサラブレッドのような、つまり体幹が筋肉のかたまりで脚は棒のように細い体形をイメージするとわかりやすいでしょう。以上より、スプリンターのための走り方と、理想的なボディデザイン「股関節回りの体幹を鍛えて手足の末端は細く」がスポーツ科学の研究を基にして示されたのでした。

この理論を、我々が日本陸上競技連盟（日本陸連）の合宿や雑誌などを通して指導者に伝え、指導者がその理論を工夫しながら選手に適合させていった結果、日本のスプリント史上、科学のない時代に創意工夫によって世界レベルに手が届いた吉岡隆徳・飯島秀雄・高野進各選手のような突出したスプリンターを次々に育むことができるようになったのです。つまり、日本人スプリンター全体の能力

コラム　日本人スプリンターの挑戦

日本陸上界の短距離走の歴史をひもとくと、過去に少なくとも三回、世界レベルに手が届いたスプリンターがいました。一九三二年のロサンゼルス五輪で吉岡隆徳選手が一〇〇メートル決勝で六位入賞を果たしました。一九六四年西ベルリンの国際陸上で一〇秒一を出した飯島秀雄選手は、同年の東京五輪でも一〇〇メートル決勝に手が届きそうでした。また、一九九二年のバルセロナ五輪では、高野進選手が四〇〇メートルで決勝に残っています。このように、日本はほぼ三〇年周期で世界に届く逸材を輩出してきました。

高野選手以前は、そういった逸材が自然に生まれるのを待つだけで、彼らに続く選手を育てることはできませんでした。しかし近年では、多くの日本人スプリンターがレベルアップしています。一九九八年に伊東浩司選手が一〇〇メートルを一〇秒〇〇で走る快挙を成し遂げ、二〇〇三年の世界陸上競技大会で末續慎吾選手が二〇〇メートル走で銅メダルを獲得するなど、日本陸上界の多くのスプリンターが世界で活躍しています。そして、二〇〇八年北京五輪では、四〇〇メートルリレーで朝原宣治選手を中心にみごと銅メダルを獲得しました。つまり、高野選手以降、日本は世界で戦える選手を次々と輩出できるようになったのです。その大きな理由としては、人間の身体運動の研究が進み、速く走るための本質がわかり、それに向かって選手とコーチが邁進したからにほかなりません。

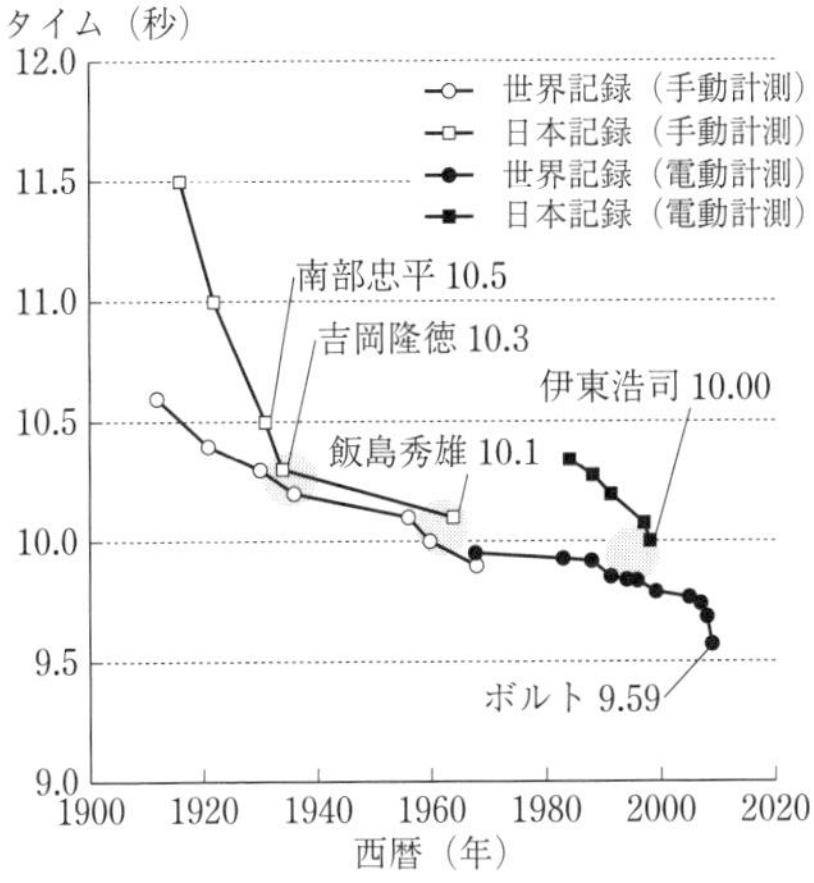

図　男子 100 m 競走の世界記録と日本記録の変遷

レベルが高まった結果、男子は四〇〇メートルリレーにおいて世界大会でつねに決勝に進出し、メダルを狙えるところに位置するようになったのです。これは日本のスポーツ科学の大きな貢献でした。

3 ナンバ走りの飛脚走法は生かせるか?

スプリント走で、どうしたら速く走れるかというスキルを模索する中で、日本古来の身体技法を見直すという観点から「ナンバ走り」が一時期ブームになったことがありました。江戸時代の飛脚はこのナンバ走りをしていたといわれています。「ナンバ走り」とは、右手右足、左手左足という同じ側の手足を同時に出す、忍者のような走り方のことです。話題になった背景には、日本陸上短距離界の第一人者であった末續慎吾選手がこの方法をトレーニングに取り入れたことなどがありました。

歩と走の移動中の腰と肩の回転を分析した伊藤章博士の研究によれば、図1-4のように、ウォーキングでは、接地の瞬間に、支持脚側の骨盤が真横より前にあり、そして支持脚が後方に動くのに連動して、キックする脚の側の骨盤も後方に回転します。これが従来いわれているヒップスウィングのパターンです。一方、ランニングでは少し状況が異なります。図1-5でわかるように、着地足が接地するときはすでに骨盤が後ろに引き戻されていて、接地中はすべて着地足側の骨盤が横に平行のラインよりも後ろに位置しています。これは、脚全体の引き戻しに「先んじて」骨盤の後ろ回転を行う、換言すれば腰の回転で脚を引き戻すようにしているということです。「腰のキレ」とはこのような状

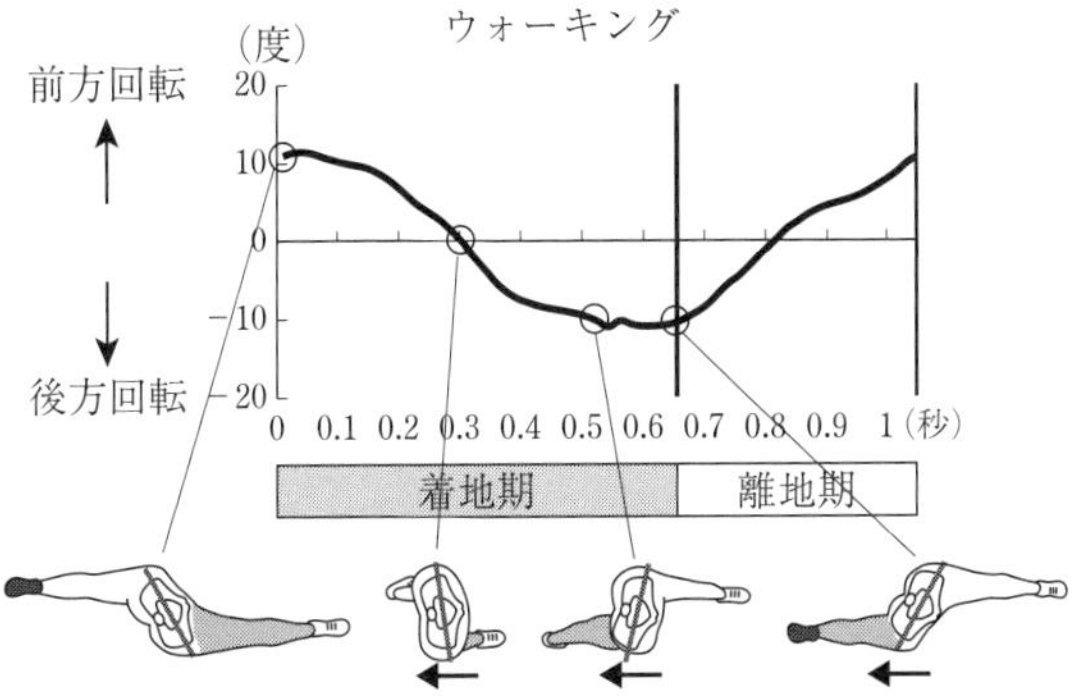

図1-4　歩の骨盤の回転（伊藤章『月刊陸上競技』2005年8月号）．縦軸のゼロが進行方向に対して腰が真横になる姿勢．歩行では，接地中に右脚を引き戻すと，右腰もそれに伴って，前から後ろに回転する様子がわかります．

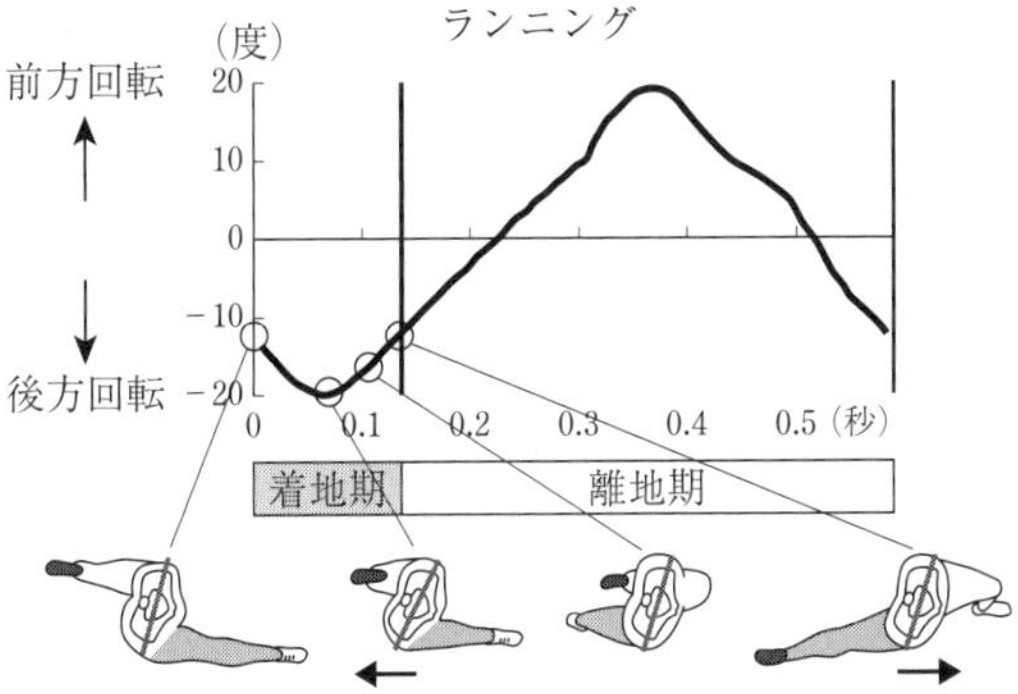

図1-5　走の骨盤の回転（伊藤章『月刊陸上競技』2005年8月号）．走行は，歩行と異なり，右足の接地前から，右腰が真横のライン（縦軸のゼロ）よりも引き戻されてマイナスになっています（左端の姿勢）．接地後にさらに後ろに引き戻す局面（左から2つ目の姿勢）があって，その後も右腰は後ろに引いたままキックしています（右から2つ目の姿勢）．つまり，右腰を着地前から引き戻す動作で脚全体をリードしているといえます．これを「腰のキレ」というのでしょう．

態を指すのでしょう。この走行の骨盤回転は、歩行のヒップスウィングとは回転のタイミングがかなりずれているという事実がわかりました。

そして、ウォーキングではヒップスウィングによってストライド（歩幅）を増大させるのに対して、ランニングでは接地期において、キック脚側の骨盤はつねに後方回転の加速度が発揮されていて、その加速度が大きいほど走スピードが速いという結果が得られました。すなわち、ウォーキングでは骨盤の回転の大きさでストライドやスピードを稼いでいて、スプリント走では骨盤回転の加速度、つまり力でスピードを導いていたのです。

また、肩のラインと、骨盤の回転のタイミングのズレ、つまり体幹の捻りを調べてみると、ウォーキングでは明らかな逆位相がみられ、片方の肩のラインが後方に回転すると、同じ側の骨盤は前方に回転していました。これはスピードが速くなっても同じ様相でした。一方、ランニングでは、速度がジョギングのように遅いときにはウォーキングに似ているのですが、スピードが速くなると肩が少し先取りして回転し、骨盤がそれに続いて回転するというように、肩と骨盤が徐々に同じタイミングに回転するようになる、つまりほぼ同位相になってくることがわかりました。つまり、ウォーキングでは、肩と腰を捻りながら移動し、一方の高速のランニングでは肩と腰をあまり捻ることなく移動しているということです。

この肩と骨盤の回転のズレの度合いは、実は個人差があると推定できます。つまり、トップアスリートは、さらに上の走りを目指して、様々な手法を取り入れて、走りの中でこのズレを応用できないかを試しているということです。その一つが「ナンバ走りもどき」なのだと推定できます。いろいろな走りを試しながら、自分に合った走りの動作のエッセンスを探る試みです。皆さんも様々な動作を試してみてはいかがでしょう。試した動作が有効か否かは、同じピッチ（脚の回転の速さ）なのにストライドが伸びたかどうかで判断できます。これは、ビデオカメラを使うと容易に比較できます。

4　バトンパスで優位に立つ！

私は、一九八八年のソウル五輪以後、日本陸連の科学委員会に所属して、スプリントチームのサポートを行ってきました。そのサポートの一つにリレーの強化がありました。四〇〇メートルリレーでは、バトンパスの良し悪しがタイムに大きく影響するので、バトンパスでのスピードロスを極力減少させればチームとしてのレベルは大きくあがります。個々人ではとても高い能力をもっているアメリカチームなどは、試合当日のウォーミングアップでバトンパスを練習する程度なので、つけいる隙はあると踏んだわけです。

ここで、トップ選手が行うバトンパスの方法を説明しましょう。バトンの受け手は、練習であらかじめ決めた、自分のスタート地点よりも後方の箇所にシグナルとしての白いテープを貼っておきます。そして試合のときに、バトンの受け手は、バトンの渡し手が全力で走り寄ってきて、テープのマークのところを通過するときをシグナルに、全力でスタートダッシュします。渡し手の中間疾走のスピードよりも、静止からダッシュする受け手のスピードは最初遅いので、両者が徐々に近づいていくというわけです。バトンの渡し方、つまりパスの方法は、バトンを肩の高さで渡すオーバーハンドパスと、腰の高さで渡すアンダーハンドパスとがありますが、この二方法はそれほど大きな違いはありません。バトンパスでタイムロスするか否かは、「受け手のダッシュのタイミング」だけだといっても過言ではないのです。

このような観点から、競技会および練習でビデオ撮影を用いて、バトンゾーンを中心に四〇メートルの範囲で、バトンの渡し手と受け手のスピード曲線を算出して、スピードロスを最小限に抑えるサポートを行ってきました。ビデオ撮影は、競技場の中に入って、それぞれのバトンゾーンをパンニング（流し）撮影します。国際大会や日本選手権などの大きな競技会では、競技場のフィールド内に入って撮影することは、審判部がなかなか許可してくれないのですが、夏に北海道で行われる南部忠平記念陸上競技大会では、北海道陸連の深い理解があって、毎年フィールド内に入って撮影することができました。

図1-6は、バトンパスの解析例です。バトンの渡し手のスピードが毎秒一〇メートルのスピードでバトンゾーンに入ると若干低下しているのがわかります。例えば、第1節のスピード曲線で述べたように、朝原選手の中間疾走スピードは秒速一一メートルを超えていることを考えると、図1-6の渡し手はバトンを渡す前から徐々にスピードを落としていて、かなりタイムロスしているといわざるをえないわけです。このようなデータを基に、練習で渡し手と受け手のスピードが維持されてタイム

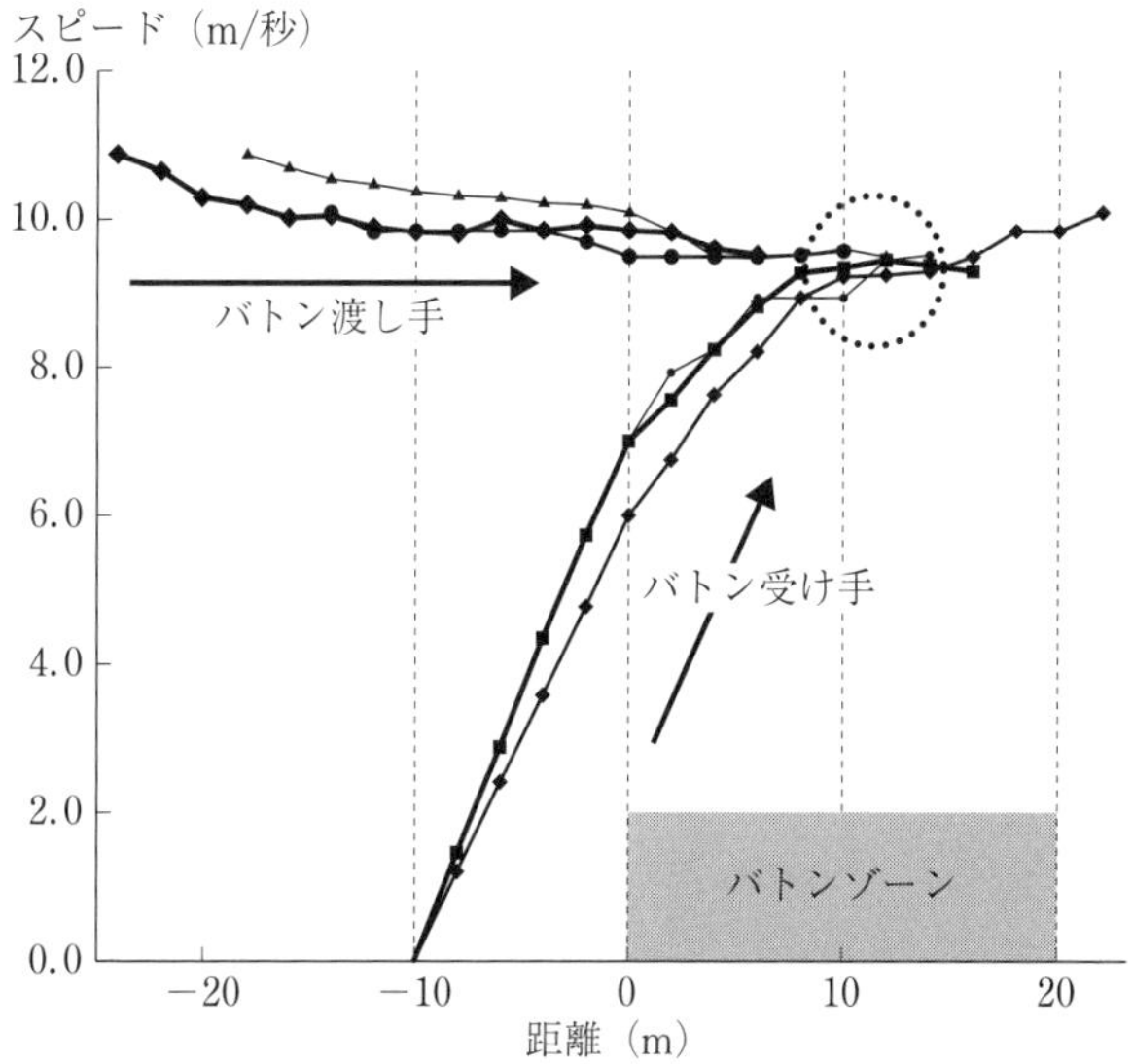

図1-6　バトンゾーン前後の，バトンの渡し手と受け手のスピード曲線（深代千之『月刊陸上競技』**35**(12)：174-178, 2001を基に作図，1走から2走，2走から3走，3走からアンカーへのバトンパスをまとめて表示）．バトンの渡し手がバトンゾーンに近づいてくると，受け手は地面に貼ったテープを目安に全力でダッシュします．バトンゾーンの中間くらいでパスしていますが，スピードが毎秒1メートル程度低くなっているのがわかります．このスピード低下がなければ，かなりのタイムロスを防ぐことができるのです．

ロスがないような、ダッシュのタイミングを練習していったのです。

このようなサポートが、選手のバトンパス技術のレベルをあげ、北京五輪の四〇〇メートルリレーの銅メダルに結びついたと自負しています。北京五輪では、強豪国のバトンミスがあり日本チームにとって幸運だったということもありますが、日本陸上トラック競技男子での五輪初のメダル（女子を含めると人見絹江選手以来八〇年ぶり）を、直接・間接にサポートしてきた立場として、嬉しい限りでした。

なお、このようなバトンパス方法は、運動会のリレーで用いればとても効果的です（『紅白対抗リレーで勝つ！　新・運動会で一番になる方法』（ラウンドフラット、二〇一〇）ＤＶＤ参照）。

5　ジグザグ走の極意

バスケットボール、サッカー、ラグビーなどの球技スポーツで、素早くジグザグに動くことができれば、相手に対してとても優位に立つことができます。球技スポーツの選手ほとんどが、「どうすればもっと素早く方向転換できるようになるのか」を考えているはずです。一〇〇メートル走のような一直線上を走る陸上競技のスプリント走に対して、様々な方向への転換走やジグザグ走に必要な能力は異なると考えられます。読者の中にも、直線ダッシュの速い人と遅い人が、ジグザグ走だと順序が逆転することを目にした方もいると思います。これまでの方向転換走の動作観察から、股関節を外に

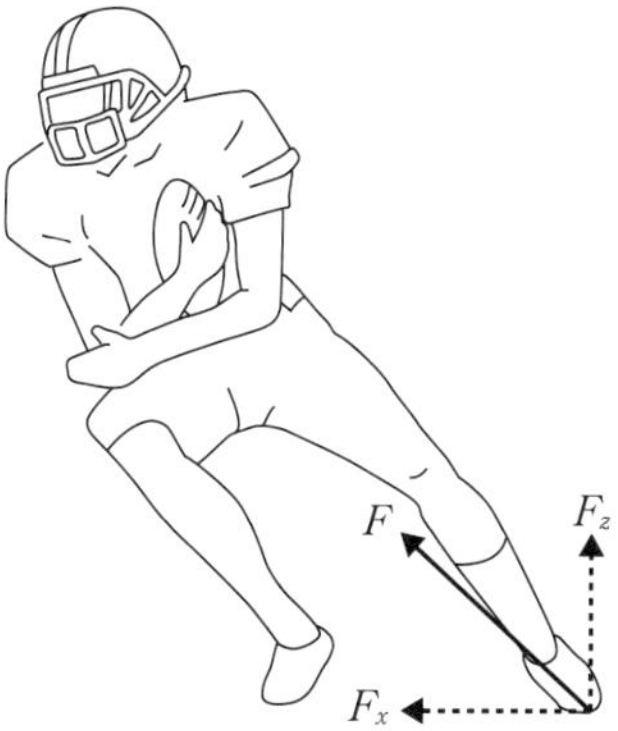

図 1-7　アメフトの方向転換の動作と地面反力ベクトル．横に方向転換するためには，地面に横方向の力 F_x を発揮して，力積（力×時間）を得る必要があります．

開く「股関節外転」動作が重要だと、指導書では書かれています。そのメカニズムについて、バイオメカニクスの観点から考えてみましょう。

方向転換の動作は、転換方向と反対の足（左に行きたいときは右足）を、支持脚として外側に踏み出すステップと、転換方向と同じ側の足（左に行きたいときには左足）を支持脚として、逆脚を前で交差して反対側に踏み出すステップの二種類に大別されます。前者は、オープンステップあるいはサイドステップカットと呼ばれ、後者はクロスステップあるいはクロスオーバーカットと呼ばれています。方向転換のスピードは、オープンステップのほうが有利であることが報告されています。しかし、方向転換するタイミングは様々なので、どちらのステップもできるようにしておかなければなりません。

方向転換の具体的な動作として、オープンであれクロスステップであれ、軸足が接地する瞬間に、股関節と膝関節を屈曲させて、新たな方向へ腰と体幹を向ける準備をすることがあげられます（図1-7）。また、軸足をかなり外側に接地することで、急激な方向転換が可能となります。つまり、まず軸足の着地位置がかなり重要となるのです。

細かく動作解析をしてみると、狙った方向へのスピードは主に下肢三関節の「伸展」の仕事により生成されていて、脚を外に広げる股関節外転トルクや股関節を閉じる内転トルクは、姿勢のバランスをとるために発揮されている程度であるということがわかりました。球技などの日々の練習で、ジグザグ走やフットワークを繰り返し行う光景はしばしば見られます。練習で目指すところは、まず軸足の着地を少し横にずらした場所に着いて、姿勢のバランスを股関節の内・外転トルクで調整します。そして、トレーニングでは、膝と足関節の伸展を鍛えるということになります。このようにみてくると、方向転換走はそれほど難しいことではなく、軸足の着地点と脚伸展によっているといえるのです。

方向転換走を繰り返すと、ジグザグ走になります。サッカーで最近よく用いられる「ダブルシザースフェイント」を研究した川本竜史博士によれば、未熟練者に対して熟練者は、移動方向に進むさいに腰のブレが少なく、脚の中でも特に膝から下の下腿を複雑に素早く動かすことで、相手を欺く技術に優れているということです。このような方向転換動作の上に、相手をフェイントで欺く、あるいは相手のフェイントに欺かれない、といったことが重なり、さらに上層にボールをコントロールする技術があるというように階層があります。練習では、目標を明確にして、階段を上がっていくように試行するのが、スキル獲得には効率的です。

6　運動会で一番になる！――走能力の発達とドリル

人間が走りだすのは、男女とも生後およそ一八カ月以降です。最初は、歩行から左右いずれか一歩のキックにより脚が地面についていない時間が現れる軽い跳び越し動作を経て、走運動が可能になるといわれています。幼児期にこうした未熟な走動作を獲得した後、走能力は加齢とともに発達していきます。これまでの走能力の発達研究をまとめると、約一歳半から一二歳までの疾走速度の発達は、平均的には、男女ともにピッチよりも主にストライドの増大によっています。加齢によって身体が大きくなるので、それぞれの子どもが速くなっていくのですが、走指導がなされなければ、グループ内での順位は同じ、つまり小さい頃から速かった子どもはその後も速く、遅い子どもはやはり遅いという結果になります。しかし逆に、しっかりした指導がなされればフォームが改善されるので、グループ内の順位も変わり、より速く走れるようになることがわかっています。

そのフォームの指導ですが、本章で述べているように、速く走るスプリント理論を理解することがまず大切なのですが、理屈を頭でわかってもなかなか身につかないものです。そこで私は、様々な動きの練習をしているうちに、速く走るのに適切な動作が自然に習得される「ドリル」を提案しました。ここでは脚全体をムチのように前に運ぶ①スキップドリル（図1-8）と、地面をうまく蹴る②競歩ドリル（図1-9）を紹介しましょう。

①通常のスキップ動作は、踵を前に振り出す動きですが、このドリルではモモの付け根の股関節を

素早く屈曲させて、膝を前に放り出すような動作をイメージして行います。スプリント走のように左右交互の周期運動よりも、着地足が二回ステップするので、振り出し動作に余裕ができて、股関節を中心にして脚を前に振り出すときのムチ動作が習得しやすくなります。膝と足首はリラックスさせて、腕を大きく前後に振ってやってみましょう。

②競歩ドリルは、何十キロも歩く競技動作ではなく、短い距離をできるだけ速く歩く動作です。膝を伸ばして、できるだけ速く歩くようにすると、接地脚の動作がスプリント走のキックの仕方と似てくるのです。そして、さらに競歩ドリルのスピードを上げていくと、後ろから前に脚を振り出すスウィング動作で、膝を曲げないと身体の移動スピードに間に合わなくなってきます。そこまできたら、そのまま走りだします。このドリルは、膝を屈伸しないで股関節を使って地面をキックする動作を習得するのに役立ちます。様々なドリルを動作解析してみると、スプリント走の下肢三関節の発揮トルクともっとも類似していたのが、この競歩ドリルでした。

また、股関節のスウィング動作を向上させ、かつ目指すスプリント体形を得るために、私がずっと薦めてきたのは、脚を前後に大きく開いてジャンプして、脚を空中で交差する「フライングスプリット」(図1-10)です。この補強運動は、空中で脚を交差する動きが注目されがちですが、重要なのは着地中に反動をつける腰の下降と上昇の切り返し局面です。この反動動作によって、大腿の内側にある内転筋が鍛えられます。内転筋はおもしろい筋肉で、この筋が活動すると、大腿が前にあるときには引き戻し、大腿が後ろにあるときには前に振り出すといった機能が現れるのです。したがって、先

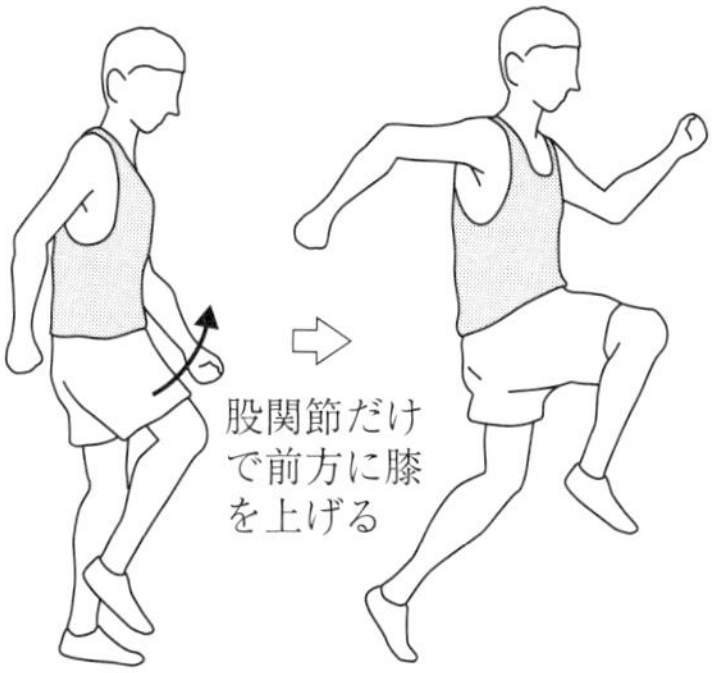

図1-8　スキップドリル．膝を大きく前に振り出すイメージでやってみましょう．脚を振り出すムチ動作の獲得になります．

図1-9　競歩ドリル．膝を伸ばしたままで，できるだけ速く歩いてみましょう．地面を押してキックする感覚をつかみます．スピードが上がってきたら，そのまま走りだしましょう．

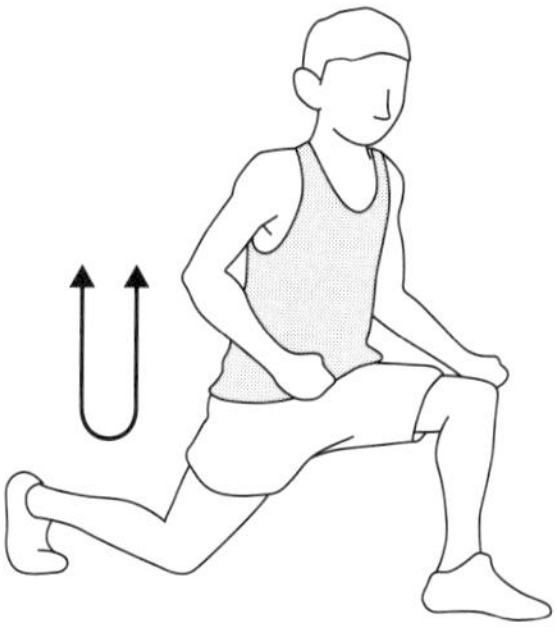

図1-10　フライングスプリット．脚を大きく前後に開いて，真上にジャンプして脚を交差します．上体は垂直に，前足は踵から着地します．着地中に腰が下がって上がる切り返し局面を素早くするようにしましょう．モモの内側にある内転筋が鍛えられます．

に述べた大臀筋・ハムストリングスと腸腰筋に加えて、内転筋を鍛えることによって、股関節を中心に脚を前後にスウィングさせる動作が素早くなるというわけです。

第2章　跳ぶ——ダイナミックにジャンプするために

マイク・パウエル選手の世界記録のジャンプ動作.

以前、世界陸上のCMで放映された、電話ボックスを軽々跳び越えるハビエル・ソトマイヨール選手の背面跳び、渋谷のスクランブル交差点を三歩で横断してしまうジョナサン・エドワーズ選手の三段跳び、そしてスポーツメーカーCMのバスケットボールの神様マイケル・ジョーダン選手のジャンプシュート等々。このようなジャンプを目にすると、人間の跳躍力のすごさに感嘆してしまいます。この跳躍は、「自力で身体を空中に投射する」運動で、人間の運動の中では発揮パワーがとても大きく、もっともダイナミックな運動といえます。跳躍は、地上で唯一、無重力感覚を体験できる運動ですが、特にトランポリンなどは滞空時間に余裕があるので、無重力感覚を楽しむことができます。

跳躍は、踏み切りで地面を押す力（地面反力）の大きさ（力積）によって跳ぶ高さが決まります。巧みに踏み切るには、反動動作で腱のバネ機構を使う、腕をタイミングよく振る、二関節筋を利用するなどの技があります。本章では、この跳躍の踏み切りに注目して、そのメカニズムを解説していきます。そして、その理論にそって、ダイナミックにジャンプする方法を提示します。

1　ジャンプのメカニズム

地球上のように重力場にあるものを地面から離すには、重力よりも大きな力を地面に対して発揮しなければなりません。身体の重心を上昇させる力は、地面反力と体重との差の運動方程式で表せます。そして、踏み切りで離地した後は地面反力はゼロとなって、身体に加わる外力は重力だけになるので、身体重心の軌跡は放物線となります。つまり、跳躍における重心の方向や飛距離は、離地するときの初速度ベクトルによって決定されるのです。

人間の跳躍は、走り高跳びの世界記録二メートル四五センチの垂直初速度が毎秒約四メートル、走り幅跳びの世界記録八メートル九五センチの水平初速度が毎秒約九メートルです。これに比べると、動物の運動能力はかなり高く、カンガルーが一三メートルを連続跳躍するときの踏み切り初速度は、垂直方向に毎秒六メートル、水平方向に毎秒一〇メートルにもなります。

この初速度ベクトルは、垂直跳びのように助走を用いない跳躍では、踏み切りで地面から受ける力の力積（力と時間の積）によって決まります。この地面から受ける力は、身近なことで実感することができます。例えば、体重計に乗って、軽く膝を屈伸して上下動をしてみてください。体重計の針は地面反力つまり地面から受ける力と同等なので、身体が動くことによって針が左右に揺れます。体重計と同じ機能をもつ精密な測定機器、フォースプレート（図2-1）で地面反力を測ってみると、縄跳びくらいのジャンプ運動で体重の三～五倍くらいの地面反力になります。体重七〇キロの人が、体重計の上で高く跳ぼうとジャンプしたら、三五〇キロにもなってしまい、体重計は必ず壊れます。また、エレベーターの中には、今何階にいるかという階数を示す表示の近くに必ず「□人乗り」と表示してあります。例えば、一〇人乗りエレベーターで、二人で同時にジャンプすると一〇人分の体重を超えることになります（体重計も、エレベーターも静かに乗りましょう）。

この体重の三～五倍（つまり三～五G、注参照）という加速度は、どのくらいの大きさなのでしょう。飛行機に乗っていて、急に上昇するときは鉛の布団をかぶったように重力がキツイと感じます。しかし、耐えられないほどではありません。この飛行機の急激な上昇に似た状態が続くのが、スペースシ

図 2-1　床に埋め込んだフォースプレートの上で実験準備をする，ハンドボールの宮崎大輔選手．

図 2-2　ハンドボールの宮崎選手のジャンプシュート．身長 177 センチ体重 78 キロの宮崎選手は，人並み外れたジャンプ力で有名です．幅広い踏み込みから，踏み切り中は特に股関節の伸展を使って高いジャンプをします．地面反力（図中の白い矢印）のピーク値は 271 キロで体重の 3.5 倍程度ですが，踏み切り時間が長いので大きな力積を発揮しています．その結果，空中では腰の高さが 184 センチ（直立位との差は 87 センチ），頭頂のピークは 250 センチにもなります．

ャトルで大気圏を脱出するときです。このときの重力加速度は三Gだといわれています。この大気圏脱出の三Gは大きい加速度のように感じる読者がいるかもしれません。ジャンプの踏み切りは、時間としては一瞬ですが、そのときに発揮される加速度は大気圏脱出のときとは比較にならないくらい大きなものです。走り幅跳びや走り高跳びの踏み切りは三Gなど軽く超えて一〇Gにもなります。スペースシャトルの大気圏脱出は持続的、踏み切りは一瞬という所要時間の違いはありますが、運動中の加速度はそれほど大きいのです。本章では、人間の運動でもっともダイナミックな跳躍を、踏み切りを中心にみていくことにします。

ところで、飛行機がエアポケットに入って、突然ストンと落ちるときはとっても気持ちが悪いものです。飛行機がストンと落ちる状態と同じでスペースシャトルで突然無重力感覚になる、つまり宇宙に出たときの感じはどのようなものなのか、以前、シンポジウムで一緒だった若田光一宇宙飛行士に檀上で聞いてみたことがあります。その答えは、宇宙に出て突然無重力感覚になるのは、飛行機の落下と異なって、まったく気持ちが悪いということはなく、突如フワッとなるのだそうです。いずれにしても、私は閉所恐怖症なので、スペースシャトルは絶対無理です。

（注）G＝加速度の単位。重力加速度（9.8 m/s^2）を一Gとして、その何倍の加速度かを表す。

2 反動でバネを使う——カンガルーの秘密！

動物界のジャンプのチャンピオン、カンガルーはなんと一三メートルを連続で跳躍します。以前、西オーストラリア大学に客員研究員として滞在していたときに、野生のカンガルーが野原を大ジャンプして移動するのを目にしました。動物園のカンガルーはピョンピョンと軽くジャンプするくらいですが、野生のカンガルーのジャンプは本当にダイナミックで感動しました。このダイナミックな跳躍の秘密は、反動を使ってアキレス腱のバネ効果を利用するという点にあります。ここでは、ダイナミックな跳躍でよく用いられる「反動動作」について解説します。反動は、主動作の前に一度逆方向に予備運動を行って、次に行う主運動をよりダイナミックにさせます。垂直跳びに譬えてみますと、直立位から一度下方向に沈み込んで、その後に上方向に踏み切る一連の動作を「反動動作」といいます。

この反動動作は、主に働く筋と腱（筋腱複合体）が一度引き伸ばされてから短縮するので、ストレッチ－ショートニングサイクルとも呼ばれます。この反動による効果は、次の四つにまとめることができます。（１）伸張反射の利用、（２）腱のバネ機構の利用、（３）筋自体の増強効果、（４）運動開始時の高い張力、です。この中で、もっとも大きな効果は、（２）の弾性エネルギーを利用して、筋の出力を上げることにあります。「バネがある」というときのバネは、腱の弾性を利用したときのことをいいます。それでは、この四項目について、詳しく説明しましょう。

（１）伸張反射は人間の身体の中に必ず備わっている機構です。この反射については、第Ⅱ部で詳しく説明しますが、筋の中に筋紡錘という感覚受容器があって、筋が勢いよく引き伸ばされると「危ない」という信号を感知して、その信号を脊髄に送ります。すると、その信号は上位の脳に行くことなく、脊髄のところでリターンして引き伸ばされた筋に戻り、筋を活動させます。つまり、予備動作の後の主動作で筋が短縮する局面では、脳からの指令の活動にプラスして伸張反射の活動が加わるので、筋がより大きな力を発揮できるということになります。

（２）骨格筋は腱を介して骨につながっていますが、腱はゴムやバネのように外からの力で引き伸ばされ、その外力が弱まると勝手に短縮する弾性体です。反動動作を行うことによって腱が引き伸ばされますが、それによってバネやゴムなどが伸びるときと同じ弾性エネルギーが腱に蓄積されます。続いて、伸ばされた腱が縮むさいに、この蓄えられた弾性エネルギーが再利用されます。例えば、縄跳びのような連続ジャンプを行っていると、主に足首が動きますが、その主働筋はふくらはぎの筋で

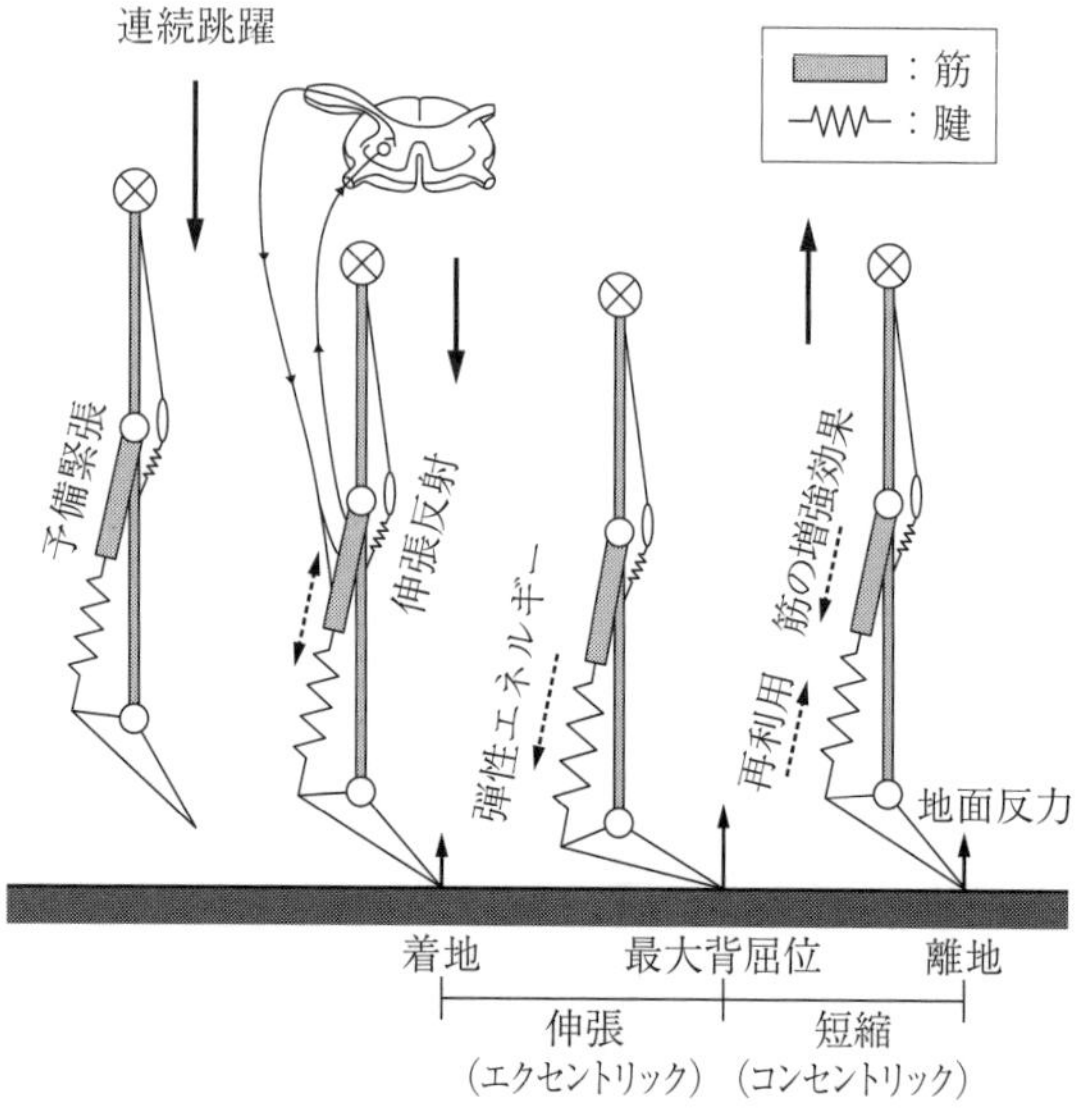

図 **2-3**　縄跳びの着地における反動動作（深代千之『体育学研究』**45**(4)：457-471, 2000）．反動動作の 4 つの効果を図に書き入れています．

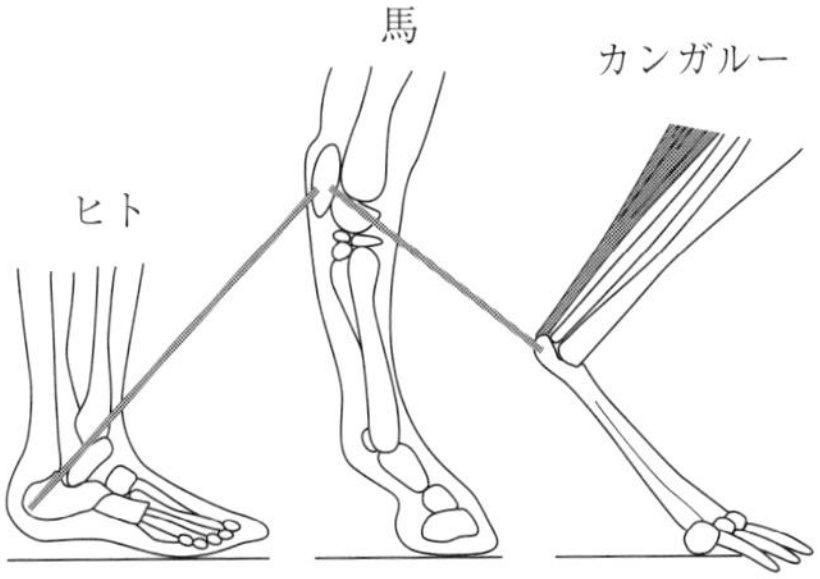

図 2-4　踵の位置の比較と，カンガルーのアキレス腱．ヒトに比べて，馬やカンガルーは足部が長い骨格に進化してきました．その結果，アキレス腱のバネ機構がより効果的に使われる形状となりました．

す（図2－3）。このふくらはぎの筋腱複合体全体は踏み切りで伸び縮みしますが、筋と腱を分けてみると、筋は同じ長さで強い力を発揮していて腱だけが伸縮することがわかっています。つまり、腱だけが伸び縮みすることで筋自体があまり伸び縮みしないですむ状態をつくりだします。筋はゆっくり短縮するほど大きな力を発揮できるという特性（第Ⅱ部参照）をうまく利用しているのです。また腱の伸縮は、筋と異なってエネルギーを消費しないので、楽に運動を行うことができます。腱のバネを有効に使うためには、まず硬い腱を大きく引き伸ばすことですが、そのためには腱に加わる力を大きくする必要があります。この力を大きくして腱を引き伸ばす動作が反動動作なのです。簡単にいうと勢いよく反動をつけることがバネ利用につながるのです。

（3）筋の増強効果は、筋が引き伸ばされることで、化学反応が起こり、筋自体の次の収縮能力がアップするというものです。

（4）運動開始時の張力は、例えば垂直跳びで、あらかじめしゃがんだスクワット姿勢から反動をつけないでジャンプするよりも、勢いよく反動をつけて同じスクワット姿勢になったときのほうが、床反力も主働筋もかなり高い力のレベルになります。反動動作は、その状態から伸展運動を開始できるので、筋腱複合体のゆるみを取り除く必要がなく、とても有利になるのです。

反動動作を利用するエキスパート、カンガルーの秘密は、カンガルーの長く強く発達したアキレス腱（図2-4）にあります。カンガルーは連続跳躍なので、大きな地面反力の踏み切りで反動動作が繰り返され、楽に大きな力で地面を押すことができ、少ないエネルギー消費で運動を続けられるのです。同様に、人間が縄跳びを何十回続けても、楽に跳び続けることができるのは、アキレス腱のバネ機構を上手に使っているからなのです。

3 腕振りの貢献！

走り高跳びの踏み切りでは、「踏切脚」で地面を押すことと同時に、「振り上げ脚と肩や腕」を引き上げます（図2-5）。垂直跳びでもタイミングよく腕を振ると、高く跳ぶことができます。では、なぜ腕を振ると、跳ぶ高さが増加するのでしょう。ここでは、そのメカニズムをみていくことにします。

簡単な例として、垂直跳びの踏み切りで、下肢三関節が伸展し続けて、体幹が上昇している局面を考えてみましょう。そのときにタイミングよく腕を下から上に振ると、体幹の上昇速度よりも腕の上

図 2-5　走り高跳びの踏み切り動作．踏み切りでは，振り上げ脚とともに，両腕をタイミングよく大きく振り上げているのがわかります．

昇速度のほうが大きい、つまり踏切初期には腕は腰のあたりの下方に位置しているのに、踏切終盤の離地の頃には腕は頭の上に位置しています。腕の振りは体幹の上昇を追い抜くことになるわけです。腕が体幹を追い抜くという現象は、踏み切りの体幹上昇中に、作用反作用の法則で、腕振りによって肩を下に押しつけることにつながります。それによって、体幹上昇の後半に股関節伸展に対する負荷が高まります。その結果、股関節の伸展速度が一時的に減少し、遅い収縮のほうが大きな力を発揮できるという筋の特性によって股関節伸展トルクが増加します。このメカニズムによって、腕を振ると高く跳べることになるのです。ただし、タイミングよく腕を振らないと、逆に脚の伸展力を弱めるということになります。タイミングよく、という意味は、前述した反動動作を考慮して、もっとも地面反力が大きいときに、腕の上昇速度を最大にするということです。

原樹子博士は、腕振りについて動作解析を行い、垂直跳び・立ち幅跳び・後ろ跳び、つまり垂直・前方・後方跳躍において、跳躍方向と同方向の腕振りを用いることで、身体全体の仕事量および身体重心変位量が増加することを定量的に示しました。例えば、垂直跳びで反動を用いないスクワットジャンプと反動を用いるジャンプにおいて、腕を振らない場合に比べて腕を振ると両ジャンプともに跳躍高が約二〇パーセント増加します。これは、感覚的にも理解しやすいでしょう。ただ、なぜそのように増大するかは、詳細に分析しないとわかりません。腕振りによって高く跳べるのは、腰関節で一五～三〇パーセント、足関節で二〇パーセント仕事量が増大することによっているのです。また、興味深いことに膝関節は腕を振ることによって逆に仕事量が低下するのです。すべての跳躍方向でそれぞれに適した腕振り方向を用いた場合は、必ず股関節の働きが増加するという共通点がみられます。

さらに、腕振り動作と脚の反動動作を別々の要素としてみてみると、それぞれの動作による下肢仕事量の増加はほとんど同等なのですが、腕振りと反動は効果の表れるタイミングが異なっていて、両者の効果が別々に跳躍の高さに貢献するのです。以上より、腕振りは下肢関節、特に股関節の仕事量や筋活動水準を増加させるために、反動動作とともに重要な役割を果たしているといえるのです。

4　パフォーマンスを高める筋――二関節筋の不思議

人間は、植物と異なり、動きやすいように進化してきた結果、身体の中にはいろいろな動くための仕組みがつまっています。ここでは、運動をコントロールする二関節筋に注目してみることにします。

コラム　不器用から生まれた奇跡――フォスベリー選手の背面跳び

走り高跳びは、一九六〇年のローマ五輪の頃までは、ほぼ正面から助走して踏み切り、バーを脚から越える「はさみ跳び」というスタイルでした。当時は、着地する場所が砂場だったために、足から着地しないと大ケガをしてしまうからでした。その後の一九六四年の東京五輪では、着地場所がスポンジのチップを盛り上げたものに改善され、背中から落ちても大丈夫になりました。この頃のフォームは、バーを越える姿勢が腹ばいの「ベリーロール」というスタイルで、ソ連のワレリー・ブルメル選手が二メートル二八センチまで記録を伸ばしました。

ところが一九六八年のメキシコ五輪で、アメリカのディック・フォスベリー選手が、今までみたこともない「背面跳び」で金メダルを獲得しました。無名の一選手にすぎなかったフォスベリー選手は、奇妙な跳び方とともに、一躍世界中に名を知られることとなったのです。フォスベリー選手が背面跳びを考案したのは、当時流行のベリーロールが苦手だったからといわれています。仕方なくはさみ跳びを練習しているうちに、着地場所が厚いマットのために昔のように足から着地しなくても安全なことから、徐々にバーのクリア姿勢が横になっていき、この背面で越える跳び方を考えついたそうです。メキシコ五輪の優勝記録こそ二メートル二四センチでしたが、その後に一気に記録が伸び、今ではキューバのソトマイヨール選手が背面跳びで二メートル四五センチまで世界記録を更新しています。

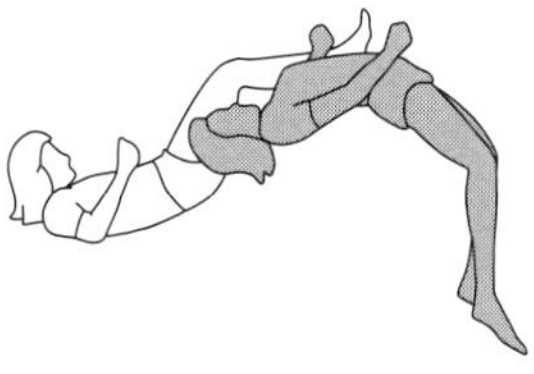

図　走り高跳びの背面跳びのバークリアランス動作は，頸反射をうまく利用しています．

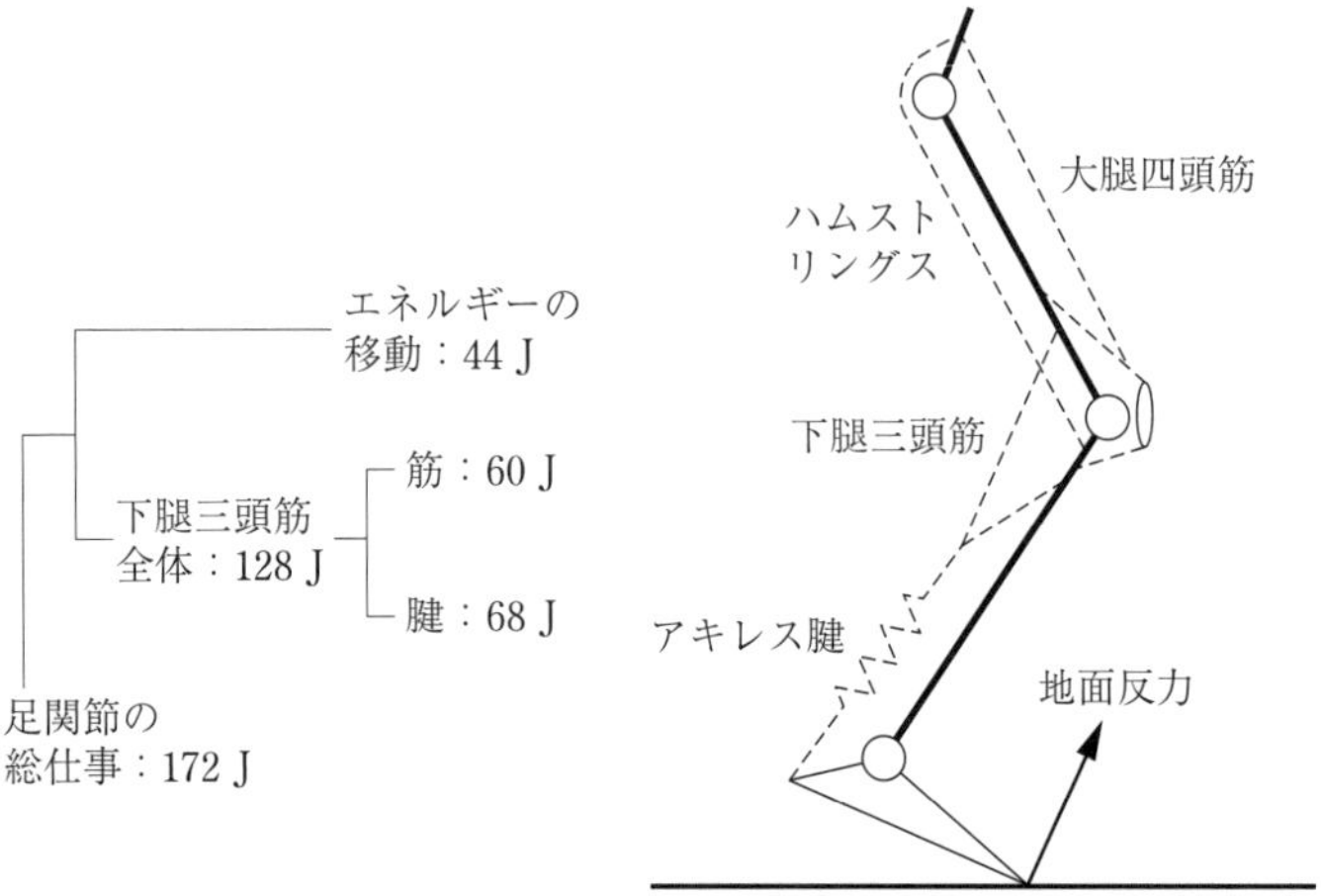

図 2-6　下肢の筋の付着部位と，垂直跳びにおける各筋と腱そしてエネルギーの移動による仕事（ボベア博士の研究に基づき図を作成）．腱による仕事と大腿からのエネルギーの移動の仕事がかなり大きいことがわかります．

骨格筋は骨に付着していて、収縮することで骨を動かします。骨を動かすということは原則として関節を屈伸させることです。骨格筋の骨への付着部の起始と停止との間の関節が一つの場合は「単関節筋」、二つの場合は「二関節筋」といいます。単関節筋が働くと関節を屈伸させるトルクという回転力が生じます。一方の二関節筋は複雑に身体運動に関わっています。例えば、ふくらはぎの中の腓腹筋は膝と足首の関節を介する二関節筋で、足首の底屈と膝の屈曲に働きます。言い換えると、この腓腹筋が収縮すると足首が「つま先だちになる力」と「膝を曲げる力」が生じます。この二関節筋は運動中に関節の間でエネルギーを流すという大切な役割を果たします。そのエネルギーの流れについて説明しましょう。

垂直跳びの踏み切りで下肢三関節が伸展する様子を考えてみます。ふくらはぎの筋よりも大きく太い大腿前面の大腿四頭筋が働いて短縮すると、膝が伸展します。膝が伸展すると、膝の裏側についている下腿三頭筋の一つの腓腹筋の付着部の起始が引っ張り上げられることになって、膝からのエネルギーが腓腹筋を介して足首に流れるのです。腓腹筋だけの収縮で足首を底屈させるよりも、このエネルギーの加算によって、より強く足首が底屈するということになります。

オランダ・フリー大学のボベア博士は、垂直跳びを対象に筋腱複合体や二関節筋の働きをコンピュータシミュレーションで研究して、興味深い結果を発表しています。その研究を簡単にまとめますと、垂直跳びにおける身体重心上昇期に、足関節がなした仕事を一〇〇パーセントとすると、「下腿三頭筋」が三五パーセントで「アキレス腱」が四〇パーセント、そして膝関節から「移動した仕事」が二五パーセントでした（図2-6）。この移動は膝関節伸展筋が生み出したエネルギーのうち、膝関節伸展には使われずに二関節筋である腓腹筋を通して足関節伸展に使われたのです。この二関節筋による効果として知られているエネルギー伝達は、腱のバネ機構と同様に、ジャンプのようなダイナミックな動作ではパフォーマンスを高めるという重要な役割を果たしているのです。

5　地面を蹴る——世界記録を生んだ地面反力

二〇一二年現在の男子走り高跳びの世界記録は、キューバのソトマイヨール選手がもつ二メートル

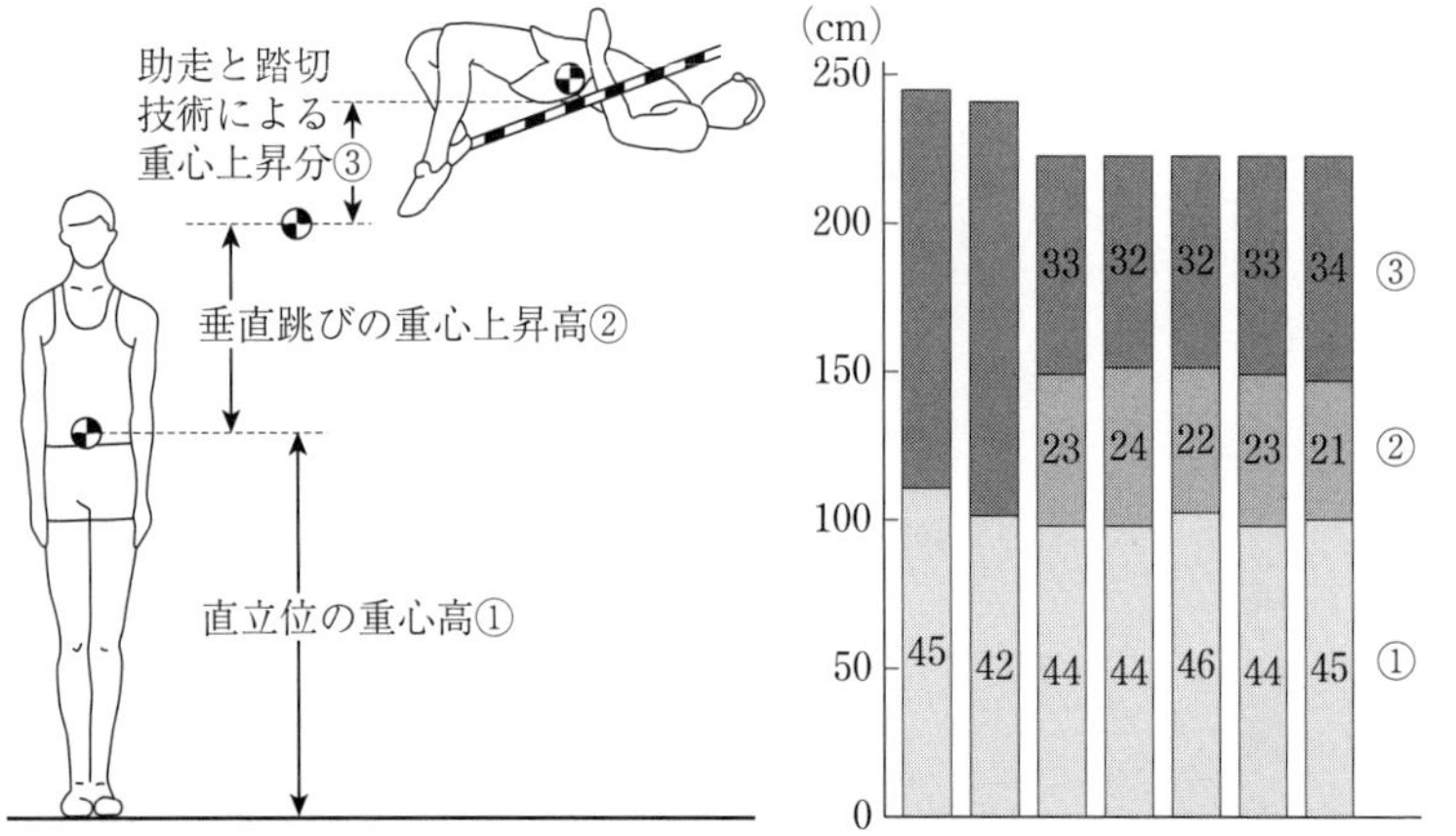

図 2-7　走り高跳びのパフォーマンス構成要素．①身長，②垂直跳びの高さ，③踏切技術の要素に分けた場合の比率．世界のトップ選手（棒グラフの左2名）と日本のトップ選手を比較したものです．このように要素に分けると，その選手がどの要素を向上させれば，より高く跳べるかが客観的に明らかになってきます．

四五センチです。ここでは、このジャンプがどのくらいの地面反力によって成功したのかを計算してみることにします。

ソトマイヨール選手の身長は一メートル九五センチ、体重は八七キロです。世界記録のビデオ映像から、踏切時間は〇・一四秒とします。二メートル四五センチの高さにあるバーを越えるとき、静止立位姿勢の身体重心高（身長の五五パーセント）からバーの高さまで重心を一メートル三八センチ上げることになります。空中で重心を一メートル三八センチ上昇させるためには、自由落下の運動方程式から、踏切初速度が毎秒五・二メートル必要となります。そして、ニュートンの運動の法則の変形である「運動量と力積」の関係と踏切時間から、世界記録の踏み切りの平均地面反力は約三三〇キロと計算できます。この

コラム　バスケットの神様、ジョーダン選手のジャンプ力

以前、NBAのシカゴ・ブルズで活躍したバスケットボールの神様マイケル・ジョーダン選手は、真のスーパースターでした。彼は、ジャンプシュートの滞空時間が長いということで、エアージョーダンというニックネームで呼ばれていました。アメリカのマスコミは、当時、彼はジャンプで空中に二秒いると評しました。これは本当でしょうか。

ここで、落下の運動方程式から、ジョーダン選手のジャンプを計算してみると、空中に二秒いるためには高さ約五メートル跳ばないといられないことになります。ところが、走り高跳びの世界記録はソトマイヨール選手の二メートル四五センチです。つまり、ジョーダン選手は走り高跳びの世界記録の二倍の高さをジャンプしなければ、空中に二秒いることができないわけで、絶対不可能ということがわかります。CMのスローモーション映像や、奇跡のような逆転ジャンプシュートから、ジョーダン選手は空中遊泳をしているといったことが幻想としてできあがってきたのでしょう。このような文系的な感嘆表現を、科学的に計算で解くと、とたんに冷めてしまうのですが、このようなことが残念ながら時々あります。

では、ジョーダン選手はどのくらいのジャンプをしていたのでしょうか。身長一メートル九八センチ、体重九九キロのジョーダン選手は、ダンクシュートのときに頭頂がほぼゴールリングの三メートルと同じ高さまで上がるので、空中の上昇高は一メートル〇七センチとなります。この跳躍高を得るための初速度は、片脚踏切の走り高跳びの世界記録に近い値になります。ダンクシュートが両脚踏切とはいえ、ジョーダン選手は、陸上競技の跳躍選手に匹敵するジャンプ力をもちながら、ボールをコントロールしていたことがわかり、その能力の高さが実感できます。

結果の意味するところは、身長一メートル九五センチ、体重八七キロの選手が、走り高跳びの踏み切りで三三〇キロの地面反力を〇・一四秒出力することができたら、誰でも二メートル四五センチの世界記録を越えられるということです。三三〇キロのバーベルをかついで片脚でハーフスクワットすることを考えると、すごい出力だということがわかると思います。

ここまで、離地時の重心高から重心を一メートル三八センチ上昇させるための地面反力を計算してみました。この重心上昇高は、体力要素としての筋力と、技術要素としての踏切動作の合算で成り立っていると考えることができます。仮に、垂直跳びのジャンプ高（図2-7の②）を体力要素と仮定し、走り高跳びの重心上昇高から垂直跳びの高さを差し引けば、踏切動作の技術要素（図2-7の③）を推定することができます。

図2-7は、世界記録保持者ソトマイヨール選手を含めた、国内外のトップ選手の①身長、②垂直跳びの高さ、③踏切技術それぞれの、バー高への貢献度を示しています。残念ながら外国選手の垂直跳び能力はわかりませんが、このように要素に分類すると、選手がより高いバーを越えるためには、何が不足していて、何が特長かが定量的に明らかになるので、次の練習やトレーニングの目標を立てやすいという利点があります。

6　より遠くへ跳ぶために——踏切スキル

人間がどのくらい遠くへ跳べるかという走り幅跳びの男子世界記録は、二〇一二年現在、パウエル選手の八メートル九五センチです。助走後に水平跳躍を行う走り幅跳びは、踏み切りに入る時点で、身体がすでに大きな水平速度をもっているので、踏み切りの地面反力は、運動の方向を変え、斜め上方へ跳び出すという役割になります。力学的には、走り幅跳びの踏み切りにおける垂直方向の地面反力の力積によって、空中でどのくらい高く飛翔できるかが決まります。踏み切りで大きな垂直方向の力積を得るためには、ある程度の踏切時間が必要になります。スプリント走の動作のままで踏み切りを行ったら、跳ぶために必要な踏切時間が得られずに、すっぽ抜けてしまい、高さを得ることができないのです。この踏切時間を得るために、ジャンパーは踏切前に腰を落として、踏切準備を行います。いつ腰を落とすかというと、図2-8のように、ほとんどが踏切一歩前なのですが、腰を下げても水平助走スピードをなるべく落とさないことが遠くへ跳ぶためには必要です。助走速度は男子だと秒速一〇メートルを超えるので、素早い脚の回転、つまりピッチが必要というわけです。

また、踏み切りにおける水平前後方向の地面反力は、ほとんどブレーキとしての力となります。ブレーキをかけることで、斜め前方に投射するという移動方向の転換をしているのです。走り幅跳びの一流選手の跳躍角は一五～二五度の範囲にありますが、一九九一年に東京で行われた世界陸上選手権で、世界記録を出したパウエル選手は二三度と高く、スプリント走でも活躍したルイス選手は一八度と低い値でした。踏み切りに入るときの助走速度は両者ともに毎秒一一メートルだったのですが、パウエル選手は水平速度を減速させても高く跳ぼうとしていました。この跳躍角は、踏切準備動作とと

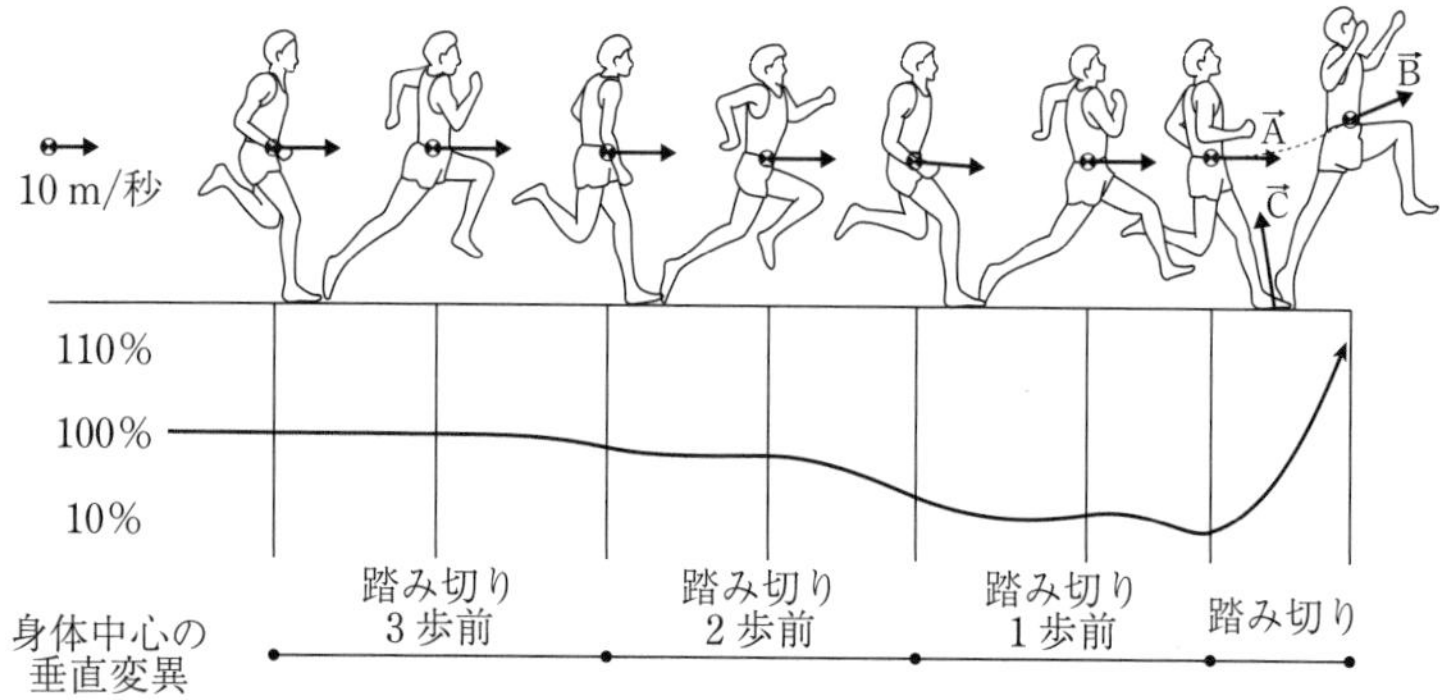

図 2-8　走り幅跳びの踏切準備（深代千之『跳ぶ科学』大修館書店，1990）．各動作の腰からの矢印は，重心からの速度ベクトルです．（$\vec{A}-\vec{B}=\vec{C}$，$\vec{A}$ は着地時，$\vec{B}$ は離地時の速度ベクトル，$\vec{C}$ は加速度ベクトル）．下図は，踏み切り 3 歩前の重心高を 100% としたときの重心高の変化です．踏切準備のために腰を下げますが，そのほとんどは踏み切り 1 歩前だということがわかります．

もに踏切支持脚のさばき方によって決まってきます。跳躍角が高いパウエル選手の場合は、踏切準備で腰を低く沈めて、踏み切りでは支持脚をあまり屈曲させないようにする「固定式接地」を採用していました。一方の跳躍角が低いルイス選手の場合は、踏切準備であまり腰を下げないで、踏み切りでは踏切支持脚を引き戻しながら接地する「積極的接地」を行っていました。このような技術によって、投射角つまり跳躍の高さが決まってくるのです。

　踏み切りにおける固定式技術は、特に膝の伸筋群が踏み切り前半で大きな伸張性活動を行いブレーキをかけていることが報告されています。これは、走り高跳びの踏切技術とかなり似ていますが、最適な投射角を得るために、踏切前の腰の下げ方や踏切脚の屈伸などを、選手は微妙に調節しています。走り高跳びの踏み切りは、走り幅跳びの固定式接地を強くした動作ということができます。

そして、踏み切りで離地した後は、身体重心は放物線となるので、重心の砂場への着地点は踏切離地時にすでに決まっています。走り幅跳びの着地について、放物線の重心着地点と実際の踵の着地点を比較したところ、踵の着地点は重心着地点よりも必ず手前に着き、両地点の差は選手によって五〜五〇センチという範囲になりました。数センチで勝敗が決する走り幅跳びで、着地だけでこのような差が生じるのはとても大きいといえるのです。

7 子どものジャンプ

人間は、生後一年かけて直立するようになって、その後に歩きだします。そして、徐々にダイナミックな動作を身につけていくわけですが、人間がジャンプできるようになる、つまり子どもの跳躍は、人種や文化の違いに左右されることなく、二歳頃から可能になるといわれています。跳躍の局面は踏み切りと着地に分けられますが、人間はまず着地動作から習得します。これは、筋の収縮様式から、着地の伸張性活動のほうが、踏み切りの短縮性活動よりも大きな力を発揮できることに起因しています。例えば自動車は、エンジンが故障していれば走ることができないので事故には至りませんが、動きだしてからブレーキが故障していたら大惨事になります。跳躍もこれと同じで、着地を習得しないうちに跳んだら大変なことになります。もし着地のときに膝や股関節を順序よく屈曲しなければ、大

コラム

角運動量は保たれる！——ジャンプの回転

走り幅跳びは、斜め上方に跳び出すために踏み切りでブレーキをかけます。このブレーキをかける地面反力によって、身体は前方回転しながら空中に飛び出すことになります。この回転の強さを表す角運動量は、物体がもつ固有の回転力の慣性モーメントと、その物体の角速度との積として定義できます。空中にいるときの角運動量はつねに一定です（角運動量保存の法則）。したがって、空中で動作を何もしないと、前回りのために砂場に頭から突っ込んでしまうことになるので、選手は「反り跳び」や空中で手足を回す「はさみ跳び」を行うのです。

反り跳びのように四肢を上下に伸ばして身体の慣性モーメントを大きくすれば身体の回転速度は遅くなり、逆に四肢を重心の近くに集めて身体を丸くすれば身体は速く回転します。これは、回転の軸が異なりますが、フィギュアスケートのスピン動作をイメージするとわかりやすいでしょう。

また、腕や脚を前方回転させるはさみ跳びは、踏み切りで生じた前方回転を抑えて体幹を前のめりにならないようにさせます。脚を二回半回すはさみ跳びの場合、角運動量発生に大きく貢献する部位は、踏切脚と同側の腕で約三〇パーセントの貢献、体幹・振り上げ脚・振り上げ脚側の腕はそれぞれ一〇〜一五パーセント程度の貢献であると計算されています。

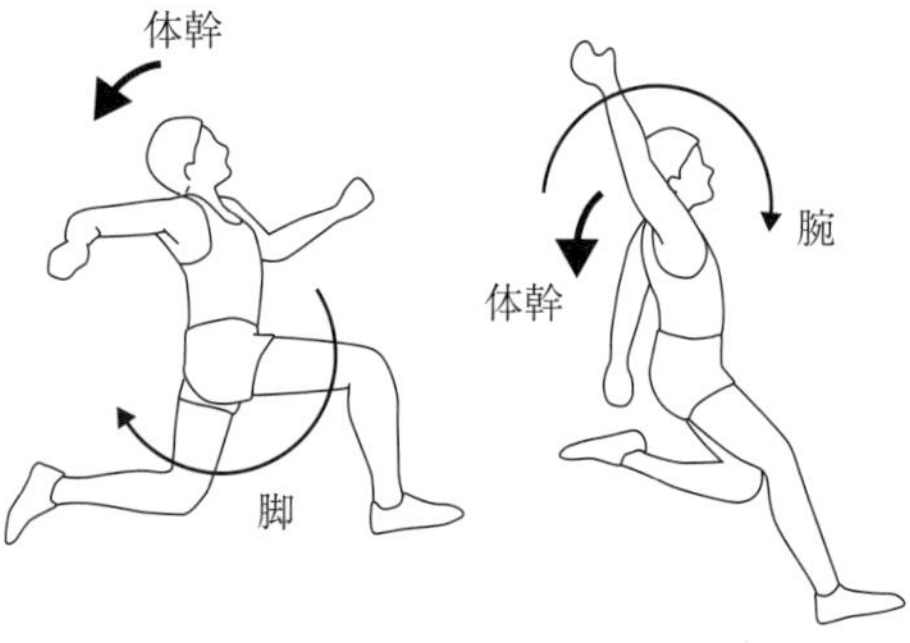

図　はさみ跳び．質量の小さい腕や脚を時計回りに何回も回すことで，質量の大きい体幹が反時計回りに少し起きます．

人でもたかだか二〇センチの台から跳び下りただけで関節を大ケガするといわれています。
従来の動作観察から、子どもの動作獲得の順序という点では、両足で蹴って両足で着地する型、片足で踏み切って他方の足で着地する型の発達が早く、片足で踏み切ってその足で着地する型がそれらに続きます。立ち幅跳びでは、三歳を過ぎてから距離を目的とした動作が観察されるようになり、積極的な頭部の背屈運動が観察されます。頭部の背屈は頸反射に基づく下肢伸筋群の反射的伸展を引き起こし、それが踏み切りのキック力を強めているというわけです。多くの研究が、立ち幅跳びの動作パターンは七歳頃に完成され、その後の跳躍能力の増大は筋量の変化によるものであると結論しています（図2-9）。

また、走り幅跳びの動作の発達をまとめてみると、両足でなく片足で踏み切る、あるいは踏み切りで振り上げ脚を引き上げるといった動作は、男子では幼児期に至る前にすでに獲得され、一方、女子では特別な練習をしない場合一一歳頃になってようやくほぼ全員がその動作を獲得するようになります。この男女の違いは、小さい頃の様々な運動経験の違いによると考えられます。ただし女子でも、練習を課せば男子同様、幼児期からよい動作の習得が可能になります。空中のバランスは着地動作にも影響を及ぼしますが、小学校高学年になっても両足着地ができず走りぬけになってしまう子どももみられます。立ち幅跳びではすでに三歳頃から両足で腰を屈曲して着地しますが、「片足で踏み切って両足で着地する」という動作は、両足踏切・両足着地あるいは片足踏切・片足着地に比較すると、動作獲得の時期が非常に遅いといえます。

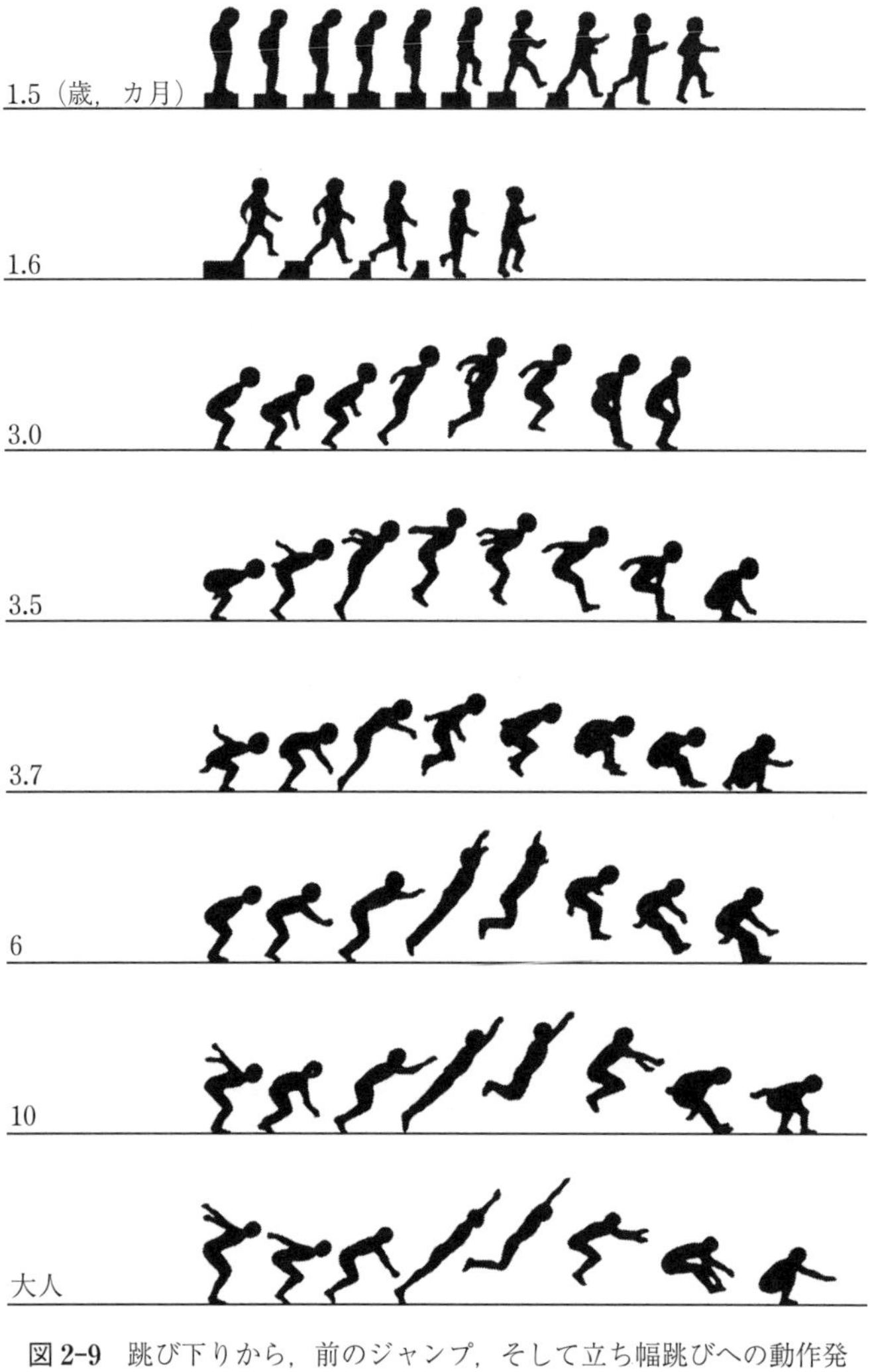

図 **2-9**　跳び下りから，前のジャンプ，そして立ち幅跳びへの動作発達の様子（Hellebrandt, F. G., *et al., American Journal of Physical Medicine* **46**：14–25, 1961）．ほぼ 6 歳で，動作としては成人と同じレベルになっているのがわかります．

助走を伴う走り幅跳びについて、跳躍練習を幼児と児童を対象に二カ月間行った研究をみると、どの年齢でも跳躍距離が増加したのですが、男女とも七、八歳頃に増加量のピークがありました。すなわち、走り幅跳びにおける働きかけの至適期は、男女とも小学校低学年であるということです。

いずれにしても、第Ⅱ部で詳しく説明しますが、スケール効果によって、小さい頃のほうがジャンプしやすいので、機会をみつけては跳んでほしいと思っています。人間の運動の中で、ジャンプはもっともダイナミックなので、ジャンプすることで様々な運動の土台ができるといっても過言ではないからです。

8　ジャンプドリル——ダイナミックに跳ぶために

ジャンプの踏み切りの種類は様々です。その場から両脚でジャンプする垂直跳びや立ち幅跳び、助走をつけて片脚で踏み切る走り幅跳びや走り高跳び、助走から両脚で踏み切る跳び箱やバスケットボールのダンクシュートなどがあります。一般に、もっともなじみのある動作は、縄跳びでしょうか。

ジャンプの巧みな人は、身体にバネが入っているように、リラックスしているのに高く跳ぶことができます。踏み切りを大きく分けると、足首を使うジャンプと、腰や膝を大きく使うジャンプに分けられます。ここでは、巧みなジャンプの踏み切りを習得するドリルについて解説します。

（1）人間ドリブル

まず一人で両手を腰に当てて、縄跳びのように連続で、足首だけでジャンプしてみましょう。着地する直前から足首を固定、つまりふくらはぎに力を入れておいて、着地中はずっとふくらはぎを緊張させます。身体が落ちてくる勢いで、踏み切り中に足首は曲がりますが、ふくらはぎに力を入れていれば反動で足首が伸展して踏み切ることができます。着地では、お腹回りの腹筋などに力を入れ、そして、なるべく膝を曲げないで、踏み切りの接地時間を短くするように意識します。次に、友達に後ろに立ってもらって、ジャンプを続けている人の肩を、鞠《まり》つきをするように、着地の前に下に押してもらいます（図2-10）。すると、着地したときの地面反力が大きくなるので、うまく足首を固定できれば、より高く跳ぶことができます。この足首ジャンプの感覚がつかめたら、次に両手を腰から離して、着地から離地するタイミングで、肩を引き上げてみます。地面を蹴るのと、肩を引き上げるタイミングが合うと、より高く跳ぶことができます。このドリルは、スプリント走のキック動作の獲得にもつながります。

（2）ドロップジャンプ

二〇センチ程度の台から跳び下りてジャンプするドリルです。動作は、台に両脚で立ち、そこから片脚を前に出して、その脚でリードして跳び下ります。これは、つま先で着地する場合と、足の裏全体で着地する場合とがあります。つま先着地は、人間ドリブルと同様に、足首ジャンプの練習になります。一方、足裏全体の着地だと、腰や膝を大きく使う踏み切りの練習になります。ここでは、足裏全体で着地するドリルについて説明します。これは少々危険を伴うので、次のような段階を設定します。最初は、着地で膝を大きく曲げたところで静止するように、着地だけを練習します。次に、膝を大きく曲げたところから、一瞬間をおいて脚を伸ばしてジャンプしてみます。慣れてきたら、着地から踏み切りの切り返しの時間を短くしていき、かつ膝の曲がりを徐々に小さくして踏み切るようにします。足裏全体で着地するので、この踏み切りの主働筋は、ふくらはぎではなく、大腿の前側の筋となります。十分に注意をしなければいけませんが、跳び下りる台の高さを変えることで、つまり落下時の重力を利用することで、踏み切りの地面反力を大きくすることができます。この練習法は、一瞬に大きな地面反力を得られるので、走り高跳びやバスケットのジャンプの練習につながります。

（3）助走つきジャンプ

図2-10　人間ドリブル．縄跳びのような連続ジャンプをしている子どもの後ろに友達が立ち，ジャンプしている子をあたかもボールを弾ませるように肩を押します．二人のタイミングが合うと，自分の予想以上に高いジャンプができます．また，この踏み切りは，スプリント走のキック動作に近いので，キックの練習にもなります．

図 2-11　助走つき片足ジャンプ．助走で勢いをつけて，上体を少し前傾させてタメをつくり（振り込み脚や両腕は後ろに残して），踏み切りの着地に入ります．踏切足は踵から着地して，膝をあまり曲げないようにして地面反力をジワジワと受け止めます．そして，振り上げ脚と両腕を思い切り上に振り上げて離地します．上体の起こしと，振り込み動作のタイミングが合うと，両脚の垂直跳びを超えるジャンプができます．

二、三歩助走して、跳び箱の踏み切りのように、両足で地面を蹴ってみましょう。そのときの感覚は、ドロップジャンプと同様です。着地前に、上体を少し前に傾けて体幹にタメをつくって、踏み切りでは上体を大きく起こしてみましょう。そのときに、両手を大きく後ろから前に振り上げます。地面へのキックと腕の振り上げのタイミングが合うと、ボールのように弾んだジャンプとなります。次に、片足で踏み切ってみましょう（図2-11）。両足踏切と異なるのは、踏み切りの逆脚を大きく振り上げることです。踏切足の腰と膝の屈伸と、上体と両腕そして振り上げ脚の引き上げとのタイミングが合うと、楽に高く跳ぶことができます。ドロップジャンプや助走つきジャンプの練習は、バスケットやサッカー、走り高跳びや走り幅跳びの基礎練習になります。

ところで、どんなジャンプでも、踏み切りよりも着地のほうが、地面反力が大きくなります。したがって、ケガも着地で起きることが多いのです。うまく踏み切った後も、着地動作に注意しながら、練習しましょう。

第3章　投げる――剛速球のテクニック

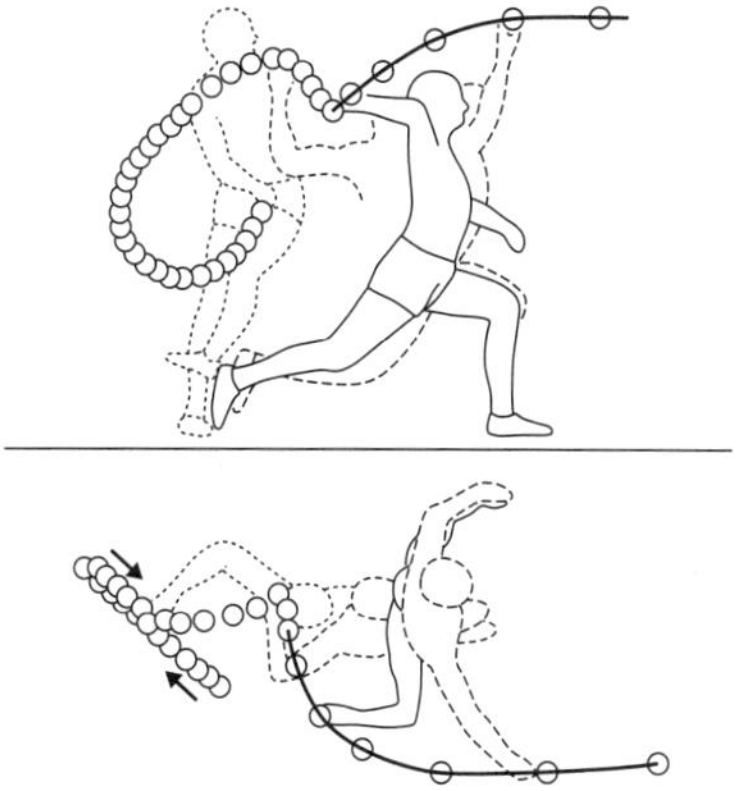

典型的なオーバーハンド投げ動作とボールの軌跡（桜井伸二『投げる科学』大修館書店，1992）．この動作には，大きく振りかぶった後に，脚の踏み出しや，腕の末端のボールスピードを上げる技がつまっています．

走る、跳ぶ、そして泳ぐ動作では、動物のほうが人間の能力をはるかに超えます。一〇〇メートルを三秒で駆け抜けるチーター、連続で一三メートルを跳び続けるカンガルー、さらに水中を泳ぐイルカに人間は大きく「水をあけられて」います。しかしながら、投げるという動作についてみると、前肢を備えているどんな動物でも、人間のようにオーバーハンドで物を投げることはできません。動物園で猿が糞をアンダーハンドで投げたという例はありますが、何か物を「オーバーハンドで投げる動作」は、人間にしかできない固有の動作なのです。

本章では、人間に固有のオーバーハンドで投げる動作、特にボール投げに注目して、そのメカニズムを探っていきます。具体的には、脚と体幹の大きな筋でつくったエネルギーを、ムチ動作を利用してボールに伝える方法、踏み出した脚のさばき方、スナップ動作で大きな役割を果たす回内動作などを解説していきます。理屈がわかれば、剛速球を投げる可能性が広がります。

1　人間だけに与えられた動作

直立二足歩行を行う人間には、「投げる」という動作の骨格的な準備が整えられて進化してきました。その結果、走・跳・泳といった動作では、その運動能力で動物にはるかにかなわない人間も、投げる動作では勝利するのです。

四足動物は、腕が肩に対して前向きについていて肘を後ろに引くことができません。また前肢でも体重を支えますから、各関節は柔軟性がなくなっていて十分にねじることができません。これに対して人間は、肩甲骨が背中に配置されたおかげで、骨格の構造上、肩が立体的に動かせるようになりました（図3-1）。この自由な動きをもつ肩関節によって、両肩の延長線上に肘を上げること、また肩から上腕部を外に回旋することができます。これが、投げる動作を支える人間の解剖学的長所となっています。さらに、ウエストと呼ばれる腰上部の長いくびれ部分も人間の身体的特徴の一つで、これによって体幹を捻ることができるのです。とはいえ、適切な時期にある程度の学習を積まなければ、人間もまた上手にそして力強く物を投げることはできません。桜井伸二博士は「人間は生まれつき投げることができる動物なのではなく、投げる可能性を与えられた動物」なのだと指摘しています。

このオーバーハンド投げは「火を使う」ことと同じくらいに、人間が生存し続けてきたことに大きな役割を果たしていたと推定されます。原始時代に、走ったり跳んだりしても凶暴な動物からはとうてい逃げ切れませんが、槍を投げることで襲いくる動物から距離をおくことができ、また一方で狩猟として槍を投げることによって食べ物を得ることができたに違いないからです。

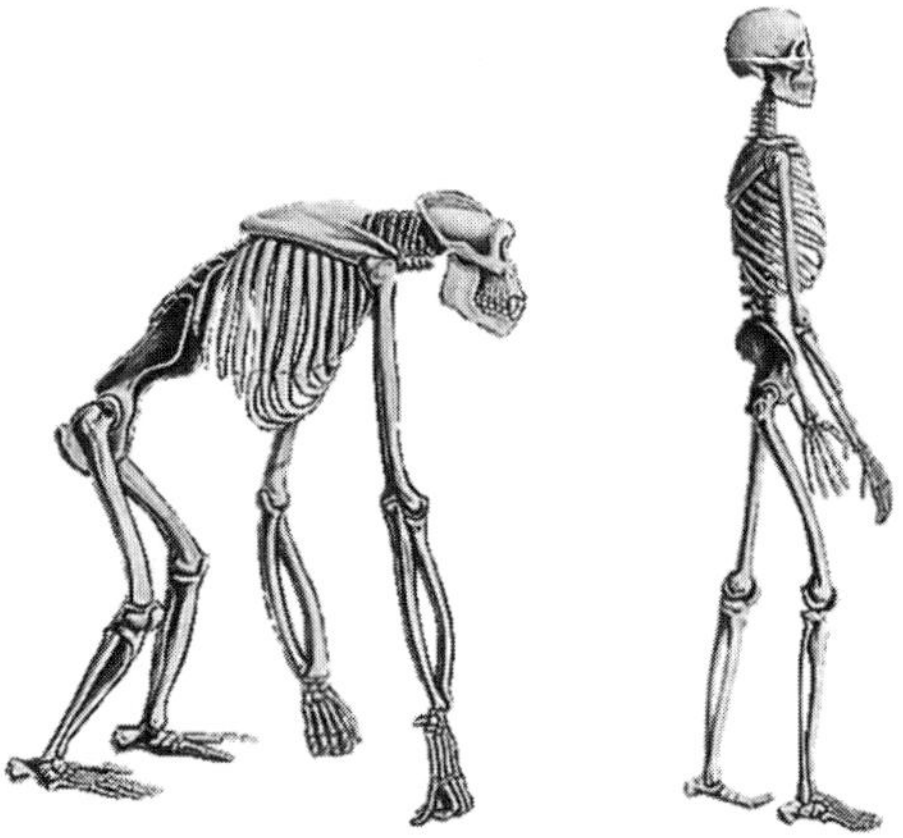

図 3-1　ゴリラとヒト，二足動物の骨格比較．四足動物の肩甲骨は前肢を覆うように縦についていますが，ゴリラだと斜め後ろに，ヒトだと背中についています．二足歩行になったおかげで，肩関節が自由に三次元的に動かせるようになり，投げる動作が可能になりました．

コラム　投てき具：ウーメラ

今から約六万年前、私たちの祖先ホモ・サピエンスは、狩猟や戦争において、単にヤリを投げるだけではなく、「投てき具」なる道具を用いていたといわれています。この投てき具は三〇センチメートル程度の棒で、先にヤリをひっかけることができる突起があります（図）。ヤリを投てき具につけて投げると、構造上、手部が長くなり、スナップ動作が大きくなります。結果として、ヤリをかなり遠くまで正確に投げられます。

筋骨隆々の人でなくとも、投てき具を使って投げるスキルアップを図れば、一五〇メートルも先の的に、ヤリを容易に当てられるといわれています。今でも、オーストラリア大陸のアボリジニは、同様の投てき具を「ウーメラ」と呼んで使用し、狩りをしているそうです。六万年前、身体がそれほど大きくないホモ・サピエンスは、このような道具を発明した陰で、屈強な身体をもつネアンデルタール人に競い勝ったともいわれています（ＮＨＫ『ヒューマン　なぜ人間になれたのか』）。

道具を考えて使うこともさることながら、オーバーハンド投げはやはり人類の生存にかかせない動作だったことがわかります。

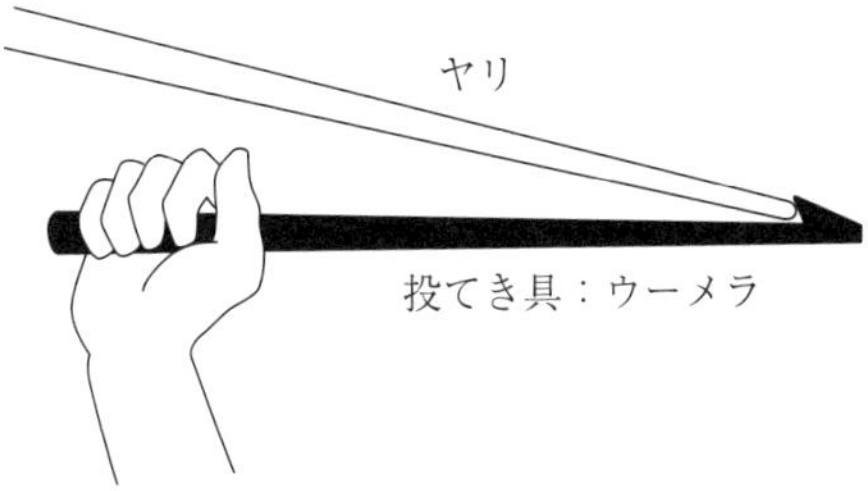

2　投球の極意——オーバーハンド投げとムチ動作

スピルバーグ監督の映画『インディ・ジョーンズ』は、ムチを巧みに使って難関を切り抜けます。皆さんは、このムチのメカニズムが人間の身体の中に潜んでいるのをご存知ですか。もっともムチの効果が表れる動作が、オーバーハンド投げの腕の動作です。この効果を巧みに使いこなすことができれば、剛速球を投げることに結びつきます。本節では、投げとムチ動作について解説していきましょう。

オーバーハンド投げ動作（図3-2）は、一般に次のような四局面に分けられます。まず投げ手の逆脚を引き上げながら胴体を十分後ろにねじり（ワインドアップ）、引き上げた脚を前に踏み出して（コッキング初期）、胴体の捻り戻しと前屈によって肩の移動スピードを高めます（コッキング後期）。その後に、肩から外旋した上腕部を捻り戻しながら、腕をムチのように使って、末端のスピードを高めます（加速期）。野球の投球動作における身体各部のスピード変化（図3-3）をみると、はじめに腰のスピードが増し、次いで肩、肘、手首、最後にボールというように、各部位のスピードが順々にピークを迎えながら、末端にいくほど大きくなっていきます。この順次スピードのピークをずらしていく現象こそがムチ動作と同様なものなのです。

ムチ動作のメカニズムは、「運動エネルギーの転移」によって説明することができます。実際にムチを振ることを例に考えてみましょう。まずムチのグリップにギュンと下向きの力を加えて加速し、

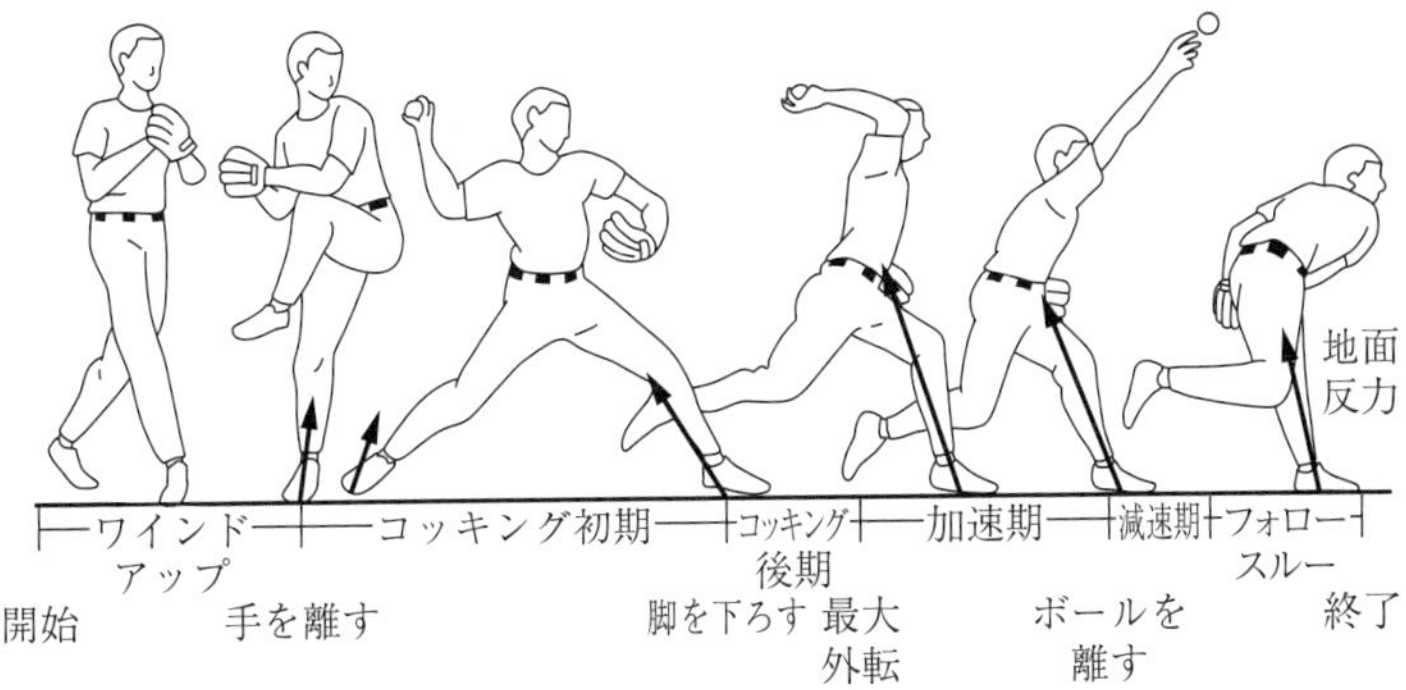

図 3-2　投球動作と地面反力ベクトル（深代千之『体育の科学』**61**：474-476, 2011）．前に踏み出した脚の地面反力が大きいことがわかります．この反力をどのように使うかが鍵です．

その仕事によってムチに運動エネルギーを与えます。次に手を止めると、手が静止した後でもムチがもつ運動エネルギーは保存され、ムチの動きが手元から先端へ連続的に静止していくので、運動エネルギーが次々とムチの先端側に移動していくことになります。ムチのエネルギーがうまく流れれば、最後に「ピシッ！」と音がでます。人間の骨格は、ムチのような軟体ではありませんが、関節を介し、同様のメカニズムを利用して、末端部のスピードを上げることができるのです。ただし、このメカニズムで身体末端部のスピードを高めるためには、末端部の質量や慣性モーメントが中枢部よりも小さいことと、中枢部は末端部よりも大きな力やエネルギーを発揮できることが前提となります。このムチ動作は、「運動連鎖」あるいは、その様子から「竿の動き」とも呼ばれています。

一流選手のスポーツ動作は、ダイナミックでありながら、しなやかで美しいと感じることはよくありますが、ムチ動作はスポーツにおけるしなやかな動きの正体ということもできます。ムチ動作は、投げだけではなく、バドミントンのスマッシュやテニスのサーブのような打撃にも共通する動作様式で、仮に筋力が同じであってもムチ動作を使えるか否かで、末端のスピードに大きな違いがでてくるのです。

野球のピッチング動作について、もう少し詳しく説明しましょう。まず、前脚を大きく上げて、身体に位置エネルギーを蓄え、脚を前に踏み出すことで運動エネルギーに変換します。この動作によっ

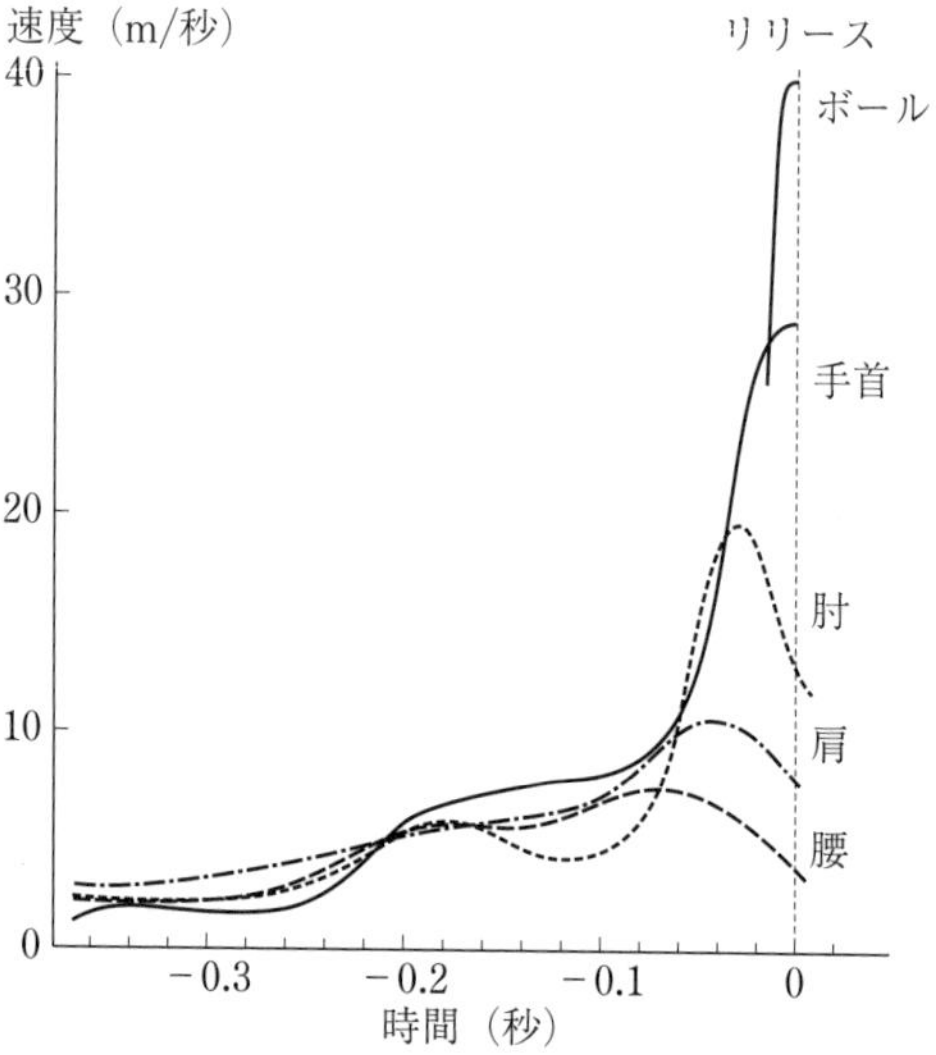

図3-3 投球動作中の，身体各部位のスピード変化（Hoshikawa, T., *et al.*, *Biomechanics* V-B, University Park Press : 109-117, 1976を改変）．腰，肩，肘，手首と徐々にスピードのピークがずれていく様子がわかります．このようにスピードのピークをずらすことで，つまりムチ動作で，体幹でつくったエネルギーを末端に流すのです．

て、腰の前方への並進スピードが高まります。そして、踏み出し脚の着地による地面反力によって腰部が固定され上胴が前に倒れ、そのエネルギーは投球腕の肩・肘・手首関節を通してボールに伝達されます。ボールの初速度を大きくするためには、エネルギーを大腿から下胴へと上に伝達すること、それによって投球腕やボールに伝達されるエネルギーを増すことが最初に重要となります。

ところで、踏み出し前脚のさばき方が日米のプロ野球投手では大きく異なります。日本のピッチャーは、前に踏み出した脚の膝を大きく曲げるように指導されますが、アメリカのピッチャーは膝をなるべく曲げないように指導されます。これはピッチングで目指す日米の目標と強く関係しています。日本式のように膝を大きく曲げる投げ方だと、投球中にボールを移動させる距離が長くなりコントロールがよくなります。一方のアメリカ式では膝を曲げないので、前脚の地面反力の衝撃は関節反力を通して直接腰にくることになり、前足の着地後に上体が急激に前にパタンと倒れこみます。アメリカ式は肩の移動スピードを高めるのに適していて、結果として剛速球を投げることができます。これは、陸上競技のやり投げ動作を思い浮かべるとわかりやすいでしょう。できるだけ遠くへ投げることが勝敗を決めるやり投げは、助走の後に前脚の膝をなるべく曲げないように突っ張ります。すなわち、コントロールで勝負する日本と、速球勝負で「打てるものなら打ってみろ！」というアメリカの考え方の差ということになります。このアメリカ式だと、一見、上体だけで、とりわけ肩で投げているようにみえるので、解説者やコーチは「手投げ」というように形容するのだと思われます。最近は、このような情報が指導現場に浸透してきたので、両方式の中間の投げ方をする投手も増えてきました。

いずれにしても、オーバーハンド投げは、脚や体幹の大きな筋肉でエネルギーをつくって、そのエネルギーをムチ動作によってうまく末端のボールまで流すことが極意だといえるのです。

3 日本式かアメリカ式か?——様々な投球法

オーバーハンド投げは、投げる腕が肩よりも上からでてくることから、このように呼ばれています。この投げる動作のバリエーションはどのくらいあるのでしょうか。ここでは、オーバーハンド投げに加えて、様々な投げる動作について考えてみます。

野球のピッチャーの投げ方としては、オーバーハンド（上手）・サイドハンド（横手）・アンダーハンド（下手）投げがあります。ただ、このように投げ方の幅を広げているのは日本やアジアの球界で、アメリカ球界はほとんどがオーバーハンド投げ（あるいはオーバーとサイドの中間のスリークォーター）です。これは、打者に打ちにくい投法を工夫する日本式と、剛速球を中心に組み立てるアメリカ式の考え方の違いだといっていいでしょう。つまり、ピッチャーの球の出だし位置がわかりづらい、様々なところから投げる日本式の投法と、打者を惑わすよりも最高スピードが高くなるオーバーハンド投げを採用するアメリカ式の違いです。様々な投げ方の中で、ほとんど誰も挑戦していない投げ方が、左投げのアンダースローです。昔、その投げ方を題材にした漫画がありました。水島新司氏の『野球狂の詩』で、女性投手の水原勇気選手が左投げのアンダースローで男子選手をキリキリ舞いさせると

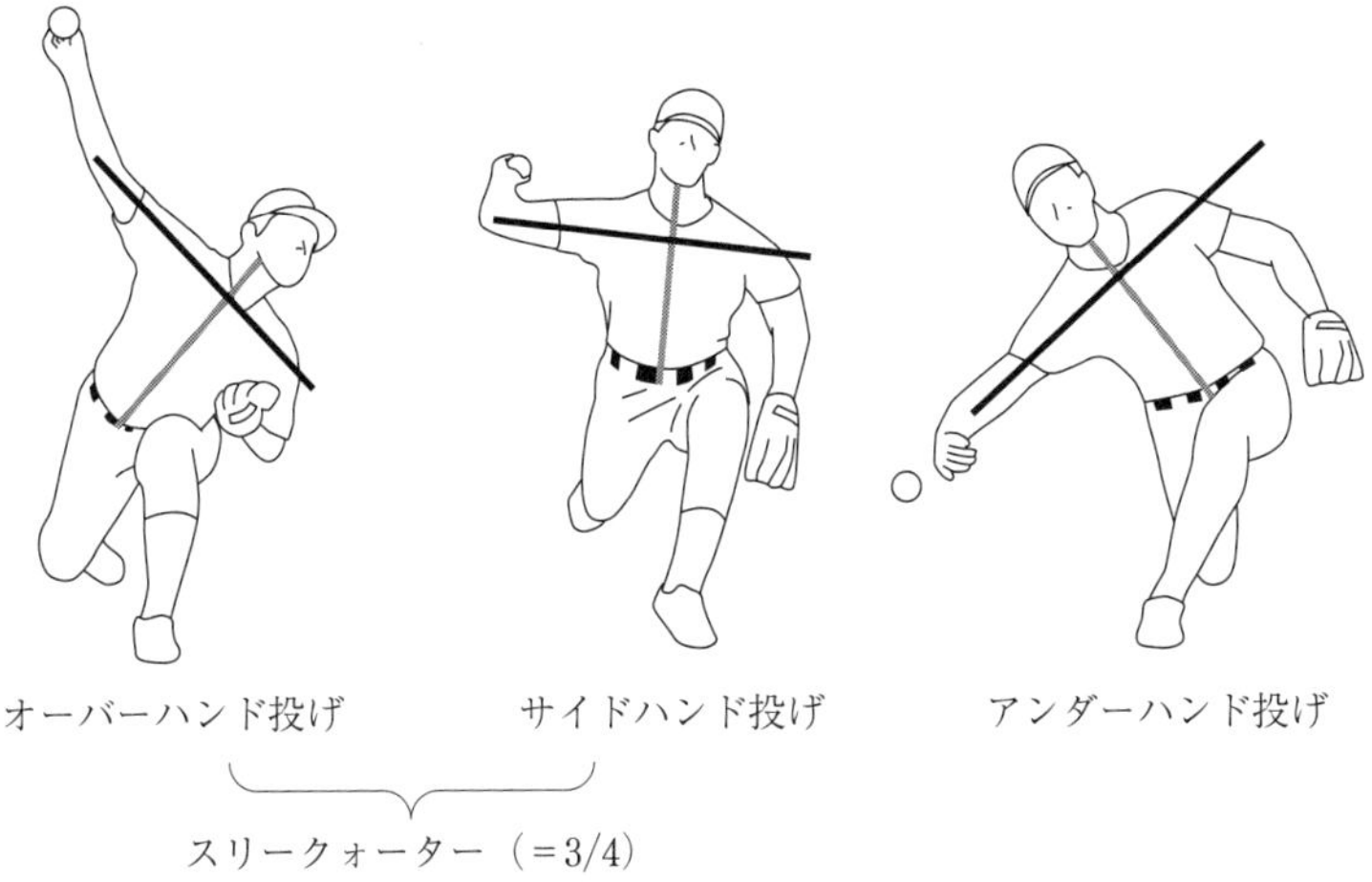

図3-4　オーバーハンド，サイドハンド，アンダーハンド投げの動作比較．ボールの出る位置が異なるのは，体幹の傾きが違うためだということが，このイラストからよくわかります．

いう痛快な物語でした。今思うと、誰もやっていない投げ方を女性にやらせるという意味では、水島氏の目のつけどころがよいなぁと思うわけです。

さて、野球のピッチャーのオーバーハンド・サイドハンド・アンダーハンド投げは、何が違って、何が一緒なのでしょうか。その答えは、体幹の傾きが異なるだけで、脚の出し方、肩から先のムチ動作、最後のスナップ動作などは、ほとんど同じだということです。つまり、速いボールを投げるためには肩から先の動作は同じメカニズムなのです（図3-4）。

では、野球以外のオーバーハンド・サイドハンド・アンダーハンド投げはどうでしょうか。腕の動きがムチ動作にならない投げ方としては、上手投げはクリケットのピッチャー、サイドハンド投げはドッジボールでの投げ方、アンダーハンド投げはソフトボールのピッチャーが代表例としてあげられます。クリケットのピッチャーは、効率的なムチ動作を使わずに、肩から先を一本の棒のようにして投げます。野球とクリケットのピッチャーのボールの初速度は、両方とも時速一四〇キロ程度でほぼ同じです。しかし、クリケットは陸上競技のやり投げのように助走をつけるプラスの効果があるので、その場からの投球だったら、野球のほうが速いことは確実です。これと同じように、ドッジボールのサイドハンド投げとソフトボールのアンダーハンド投げもエネルギーを流すという意味では効率的ではありません。ソフトボールのピッチャーはウィンドミルといって風車のように肩を中心に腕を一回転させる投法ですが、最後に前腕を腰に当ててスナップ動作を素早くするテクニックを使っています。ソフトボールは野球のピッチャーほど速いボールは投げられませんが、ピッチャープレートからホームベースまでの距離が野球（一八・四四メートル）よりもソフトボール（一二・一九メートル）のほうが短く、飛来時間も短いので打者にとってはとても速く感じられます。また、ソフトボールのピッチャーの球の出る位置は、地面に近い膝の高さなので浮き上がるように見えることも打者にとっては打ちづらい要因となっています。

4　スナップ動作の重要なコツ――ムチ動作の締め

投げ動作の最後のリリース時には、スナップ動作があります。このスナップ動作は、ピッチャーが手関節を掌屈するだけではなく、実はもう一つ重要なコツがあります。それは、スナップ動作の最後

コラム　ネーミングの勝利――ジャイロボールの秘密

レッドソックスの松坂大輔投手が、大リーガーをキリキリ舞いさせたときに、「ジャイロボール」が話題になりました。ジャイロボールとは「進行方向と回転軸が同じ方向になるボール」で、ボールが進む方向と回転軸が直交するストレートやカーブとは回転軸の向きが異なります。ジャイロボールは、アメリカンフットボールのクォーターバックが楕円形のボールを長軸回転させて、はるか前を走るレシーバーに投げるときのボールを思い浮かべるとわかりやすいでしょう。

このジャイロボールが話題になったのには、ネーミングも一役買ったと思われます。というのは、回転軸が進行方向に向かう球種としては、スクリューボールという名前のほうが適しているようにも思えますし、スライダーと似た形でもあるからです。ジャイロ（注）という斬新なネーミングが、打者を惑わせて、かつ一般受けしたと考えられるのです。

桜井伸二博士が「実験」で、ストレート・カーブ・フォークボールなどの球種の飛行軌跡を分析した結果、とてもキレイにそれぞれの球種を分類できたのですが、実験ではなく「実際の試合」でのボールの球種を分析したところ、それぞれの球種の間のボール、つまりストレートとスライダーの間とか、スライダーとカーブの間などがたくさんあって、分類できるどころかグチャグチャになってしまったそうです。つまり、ピッチャーは試合では微妙に異なる球種を、スピードの強弱と合わせて投げているのです。だから、打者がヒットを打つのは難しく、三割という低打率でも、打者の勲章となっているのでしょう。

（注）ジャイロ効果＝一般には物体が自転運動をすると姿勢を乱されにくくなる現象を指します。昔、これを利用した宇宙ゴマという玩具がありました。

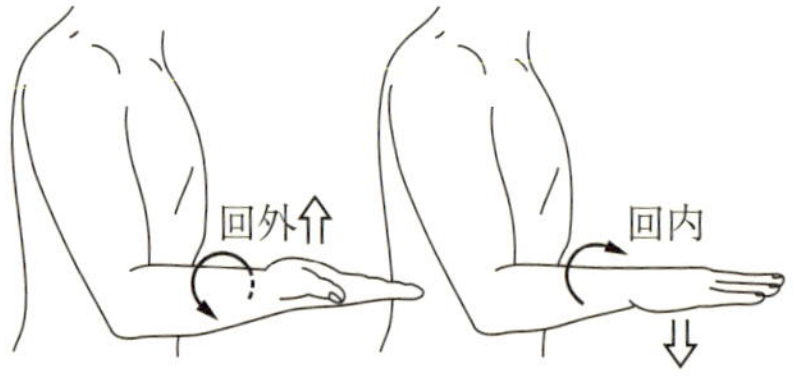

図 3-5　投げ動作の締めとして，とても重要な回内動作（深代千之他『スポーツ動作の科学』東京大学出版会，2010）．ドアノブを開けるのとは逆方向に手首を回す動作を「回内」といいます．日本古来からの身体技法でも，「かいなを返す」といって大切にされてきた動作です．

に、手首を回内することです。日本古来の身体技法、あるいは相撲や合気道などでも、手首の回内を「かいなを返す」といって重要視してきました。ここでは、手首の回内について考えてみたいと思います。

手首の「回内」と「回外」は一般になじみがない言葉だと思われますので、それをまず説明しましょう。右手でドアノブを回す方向、すなわち小指側へ手首と前腕を捻る動作を「回外」といい、反対に親指側へと捻る動作を「回内」といいます（図3-5）。高い鉄棒にぶら下がるときの順手が回内、逆手が回外です。

野球のピッチャーが、試合前にピッチング練習をしていて、「次にカーブを投げる」という合図をキャッチャーに伝えるときに、ピッチャーが胸の前でボールをトップスピン回転させる回外動作をシグナルとして使います。従来、カーブの投球では、投げ出されたボール自体もトップスピン回転なので、前腕をドアノブを回すように回外させることによってボールに回転を与えていると思いこまれてきました。ところが、桜井伸二博士が、

コラム　フォークボールの錯覚

大リーグで活躍する日本人ピッチャーが、決め球として使って効果を上げているのは、フォークボールです。人差し指と中指の間にボールを挟む握り方で投げるフォークボールは、打者の手元でストンと落ちるから打てないといわれています。テレビの解説者も「今のフォークはよく落ちました」とコメントしますし、野球漫画のフォークボールの軌跡も突然鋭角に落ちるように描かれます。しかし、フォークボールは本当に落ちるから打てないのでしょうか。

ピッチャーが放った様々な球種の軌跡をビデオ解析すると、バックスピン回転のストレート（一般に毎秒三〇回転程度の逆回転）は落ち方が少なく、トップスピン回転のカーブは大きく落ちます。そして、無回転のフォークボールは、垂直方向だけを見ると自由落下とほぼ同じ落ち方をします。「落ちるから打てない」のならば、フォークよりもカーブのほうが打ちにくいはずです。ただし、カーブは大きく落ちるために上に向かって投げ出すので、リリース時に打者は「カーブだ！」とわかります。しかし、ボールの握り方だけが異なるストレートボールとフォークボール（図）は、両球種とも同じフォームでリリースされるので、打者にはストレートボールが来たのかフォークボールなのかは最初わからないのです。つまり、フォークボールが決め球になるのは、ストレートボールと同じ投球フォームなのに飛来時間が長く、タイミングをずらされて打者のスウィングが早くなってしまうからなのです。特に、アメリカの多くの打者は、ボールが来るところを予測して全力でスウィングする、いわゆる「決め打ち」なので、タイミングをずらすフォークボールが有効になるわけです。

フォークボールの握り方

ストレートボールの握り方

野球のピッチャーの直球とカーブ投球における上肢運動を詳細に三次元解析した結果、直球と同様に、カーブの投球リリースの直前に、前腕は回内方向へと運動していることが明らかとなりました。桜井博士は、ちょうど時計の一対の歯車、つまり指とボールがお互いに逆回転しながら、回転運動を伝達するような形だと、わかりやすい譬えで説明しました。

この回内動作は、前腕にある方形回内筋と円回内筋によって行われ、ムチ動作による運動連鎖の最後の締めとしてとても重要な動作となっています。オーバーハンド投げと類似した動作として、バドミントンのスマッシュ、テニスのサーブ、バレーボールのアタック動作などがあります。特にバドミントンのスマッシュ動作は回内の良し悪しによって、ラケットの先端スピードが大きく異なることがわかっています。ムチ動作の最後に、かいなを返してスナップを効果的に行うのが、締めなのです。

5　百球肩の原因？

プロ野球の先発ピッチャーが、試合後半になって、それまで抑えていたバッターに打たれることはよくあります。これを避けるために、最近は終盤の「抑え投手」なる役割が増えています。持続力がないピッチャーは、プレイボールから球数を数えて、一〇〇球を超えると打たれることが多いようで、それを「○×投手の百球肩」などと解説者やマスコミが指摘することがありました。ある回数のピッチングを続けることによって身体が疲労し、球速やボールの回転がにぶくなることは確かにありうる

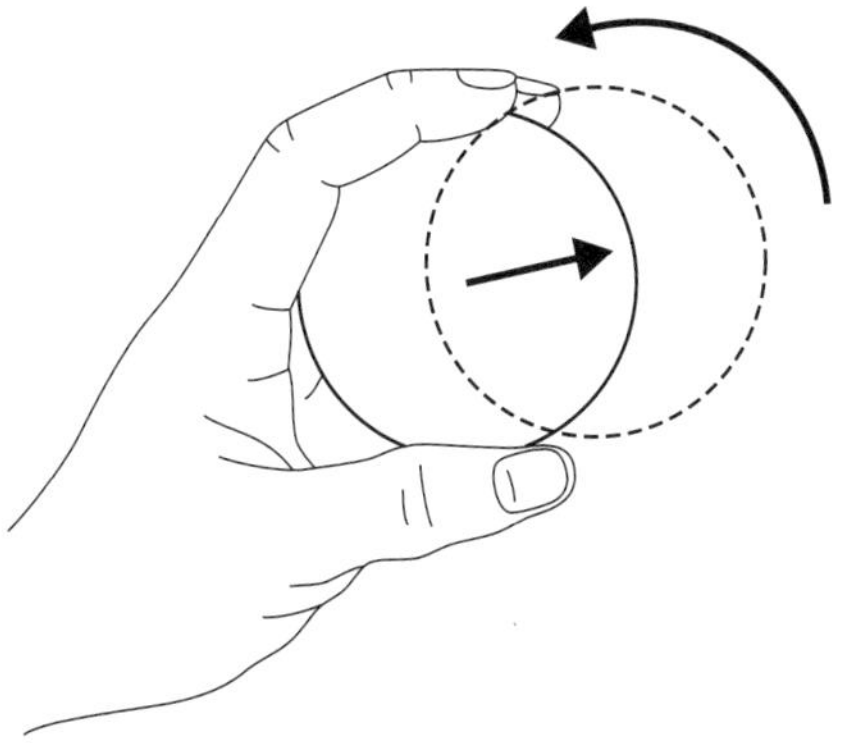

図 3-6　ストレートボールの場合，リリース時，最後の1000 分の５秒でボールが逆回転して手から離れます．したがって，最後の指の引っかかりがとても重要になるのです．

ことです。しかし、百球肩というタイトルどおり、投手は「肩」が疲労するのでしょうか？　ここでは、投げ続けることによる疲労について考えてみたいと思います。

ボールを遠くまで投げられる、あるいは投げたボールの初速度が大きい場合などに、「肩が強い」・「強肩」・「鉄砲肩」などと形容します。主要な肩の筋といえば多羽状筋（第6章4節参照）である三角筋で、肩関節を覆っています。この三角筋の働きは、腕全体を外転させてもち上げるもので、投球動作の局面でいうと振りかぶって腕をもち上げるコッキング初期局面と、ボールを投げた後に腕が勢いで前にもっていかれないようにブレーキをかけるフォロースルーのときに使われます。つまり、投げる動作の主要局面（コッキング後期と加速局面）で、三角筋が働くことはないのです。肩は体幹と腕を結ぶ「要の関節」なので、ピッチングのパフォーマンスの良し悪しを、一般に肩の強弱で形容したのだと思われます。しかし……。

投球時の指先に焦点をあてて高速度撮影してみると、リリース時のボール速度が大きい人は、手首の速度が最大になった後のボール速度の増加が大きいことが明らかになっています。具体的な動作としては、中指が曲げられたところから後ろに大きく伸展して、その後に屈曲してボールが投げ出されます。つまり、リリース直前のボールをひっかくような指先の動きが球速に大きな貢献をするというわけです。このひっかく動作、つまりストレートボールならばボールがバックスピンし始めるのは、リリースの数ミリ秒前、つまり一〇〇〇分の五秒という一瞬のうちにボールの逆回転をかけていることになります（図3-6）。

野球のピッチャーのほとんどは握力数十キロを超え、最後のリリース直前にこの強い握力でボールを放つのです。しかし、ピッチャーが一試合完投した後に握力を測ってみると、半分くらいになっているそうです。この握力が低下することこそ、球速やボールの回転がにぶくなる原因だと考えられます。体力トレーニングの種目である、片脚を前に踏み出して戻す「レッグ・ランジ」を一〇〇回程度行う、あるいは体幹の捻転を一〇〇回程度行うと、少しは動作に違いがでるとは思われます。例えば、前脚の踏み出しがばらついたり、体幹が十分に捻れなくなったりすることはあるでしょう。しかし、これらの脚や体幹の疲労による低下は、一〇〇球を投げた後の握力の低下ほどではないと推定できます。肩から先の腕は、主に関節反力でエネルギーを流すために筋はリラックスしていたほうがいいのですが、最後のスナップ動作では筋力（握力）が必要です。百球肩の原因は末端の「握力の低下にあり！」だったのです。試合の後半でいつも打たれてしまうピッチャーは、集中して握力の筋持久力を鍛えてみてはどうでしょうか。

６　野球を知らない人の投げ方

これまで日本は、スポーツの主軸に野球があって、中学校や高校では、運動能力の高い生徒の多くが野球に向かいました。最近はＪリーグができて、サッカーなど他のスポーツをする生徒も多くなりましたが、やはり野球は日本文化に深く根付いています。この背景から、男子のほとんどは、子どもの頃に親や友達とキャッチボールをした経験があって、多くの男子は腕をムチのように使うことができます。

しかし、自分の周りをみると、投げ動作は意図的に練習しなければ習得できないことも納得します。特に女子は、物を投げるなどは社会的にハシタナイという文化で育つので、いわゆる「女の子投げ」の人が多いです。この投げ方は、投げる方向に胸を向け、つまり体幹の捻転を使わないもので、女子の多くは肩から先の腕もムチ動作がなかなかできません。私が教鞭をとる東京大学でも、キャッチボールをしてこなかった学生は、たまに男子でも「女の子投げ」です。

さて、子どものオーバーハンド投げの発達に関する研究をみると、硬式テニスボール投げの投距離では、男子の平均で一歳児の距離約一メートルから六歳児の一二メートルまで増加します。どの年齢

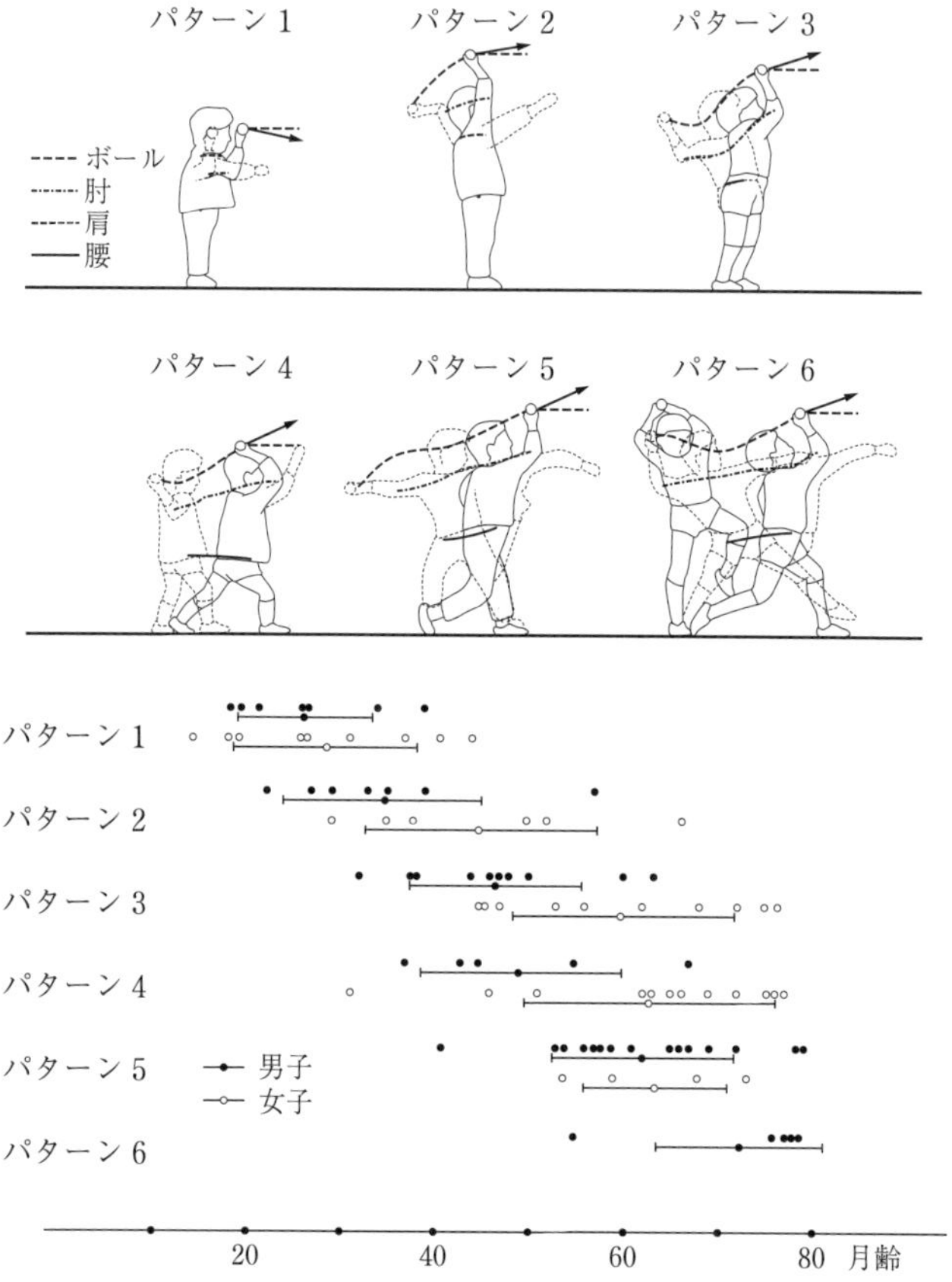

図3-7　子どものボール投げの動作パターンの変化（宮丸凱史『体育の科学』**30**：464-471, 1980）．手投げから，徐々に全身を使うようになって，6歳くらいに大人と同じような動作ができるようになります．

でも男児のほうが優れていて、その性差は加齢とともに増加していきます。特に四歳以後でその男女差は顕著になって、練習をすると特に男子の七・八・九歳で増加が著しくなります。この時点で性差が表れる理由として、男子の手首のスナップ動作の向上が原因であることがわかっています。投げたボールの距離ではなく、動作をそれぞれの発達パターンに分類してみると、幼児期の投げ動作は、上肢の動きだけによる動作範囲の小さな段階から、年齢の増加につれて脚や体幹部といった大きな体節が投げ動作へ貢献するように発達していきます（図３-７）。発達していく中の動作に注目してみると、投げ動作では腰の回転、上体の利用、逆手の利用が大きく投距離に影響しています。

ところで、以前、メディアの取材で、女の子投げの特集を扱うものがあり、相談を受けました。そのときに、東京には世界中の様々な国の大使館があるので「野球という文化のない国の大使館員の投げ動作を観察してみたらどうでしょう」と提案しました。日本人の多くは、世界中の人が野球を知っていると思っているかもしれませんが、野球を一般のスポーツにしている国はアメリカ・東アジア・ヨーロッパの一部で、野球自体を知らない国も多いのです。果たして、野球を知らない国の大使館員は、男性なので力があって強引に投げるけれども、ムチ動作のようなしなやかな動作はできませんでした。やはり、多くの女性同様に、男性でも投げる練習をしていないと、効率よい投げ方ができないのです。

これを実際に測定をして実証したのが、桜井伸二博士です。彼は、野球文化のないタイ国と、野球を知っている日本とオーストラリアの子どもたちの投げ動作を比較しました。その結果、日本やオー

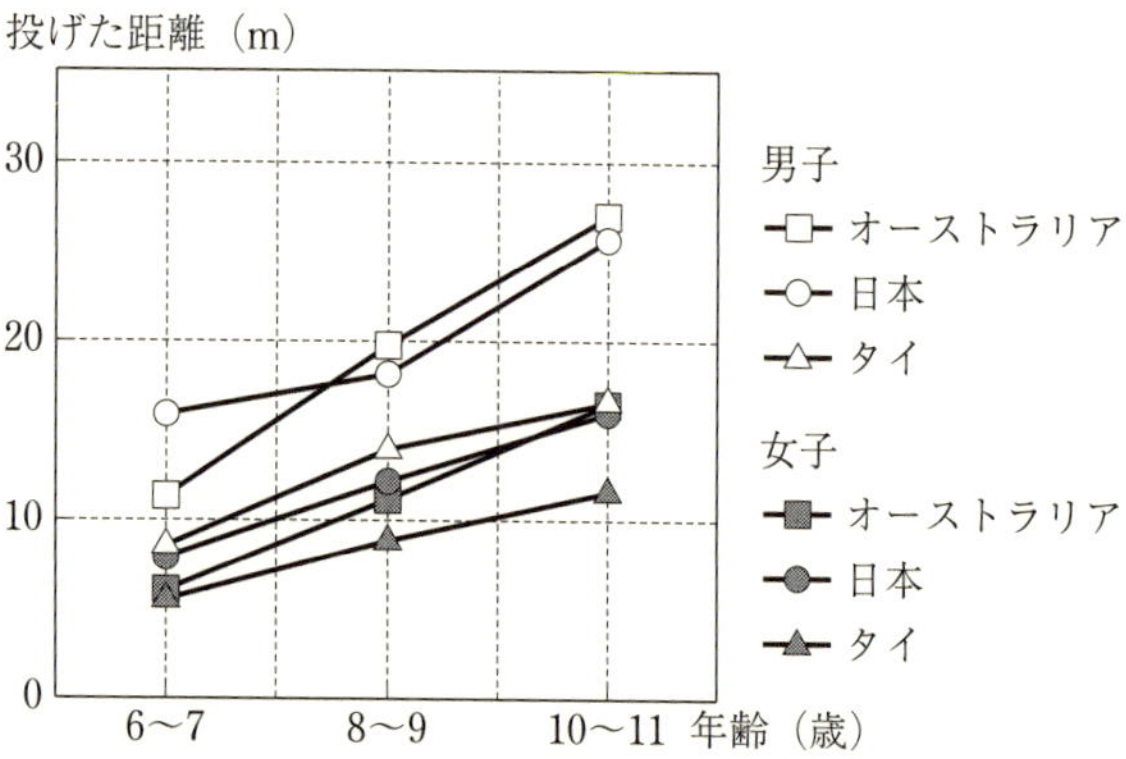

図3-8　日本・オーストラリア・タイの子どものボール投げの発達（桜井伸二博士提供）．投げる練習をしていないと，タイのように男女差がなくなります．投げ動作は練習するからこそ習得できるという実証です．

ストラリアの子どもたちには性差があって男子が遠くまで投げられるのに対し、野球を知らないタイの子どもたちは男子も女子も同じ距離でほとんど性差がみられなかったのです（図3-8）。タイでは、子どもたちが小さいときからキャッチボールをして遊ぶという習慣もないため、タイの男子と女子では動きの性差があまりなく、どちらも日本の女子と記録があまり変わらなかったのです。

これは、遺伝より環境、小さい頃にボールを投げるという神経パターンを脳の中につくってきたかどうか、の重要性がはっきりわかる例です。人間に固有の投げる動作も、練習して習得しないと身につかないのです。日本でも最近、めっきりキャッチボールをする子どもを見かけなくなりました。公園などでもボールを使えるところが少なくなってきていることもあるのでしょう。すでに日本でも「投げられない」子どもたちが増えてきているのです。だからこそ、親は子どもと一緒に時間と場所をみつけて、キャッチボールをしてほしいのです。

オーバーハンド投げ動作は、テニスのサーブやバレーボールのアタック動作などと類似していて、投げ動作ができなければ、類似した動作もできません。投げ動作に関する練習効果は、神経系の発達する幼児期や小学校低学年が好ましいのですが、成人になってもコツコツやれば習得できるという研究結果もあります。

7　ムチ動作を極める——うまく投げるためのドリル

身体全体を使って、ダイナミックにエネルギーをつくり、それを腕の末端のボールまで流すムチ動作は、次のような順序を追ったドリルで獲得できます。

（1）スナップ習得

人差し指・中指と親指でもつことができる大きさのボール（テニスボールか野球ボール）をもって、二の腕を地面と水平にして準備姿勢をとり、数メートルの距離の相手と、肘から先だけで投げてキャッチボールをします。最初は、肘を伸ばしながら手首の掌屈、つまりスナップを中心に行ってみます。次に、最後のスナップで、掌屈に回内を加えてみます。それができたら、肘を伸ばしておいた姿勢から勢いよく屈曲して、肘の反動を使ってみます（図3-9）。徐々に相手との距離を伸ばしてみましょう。

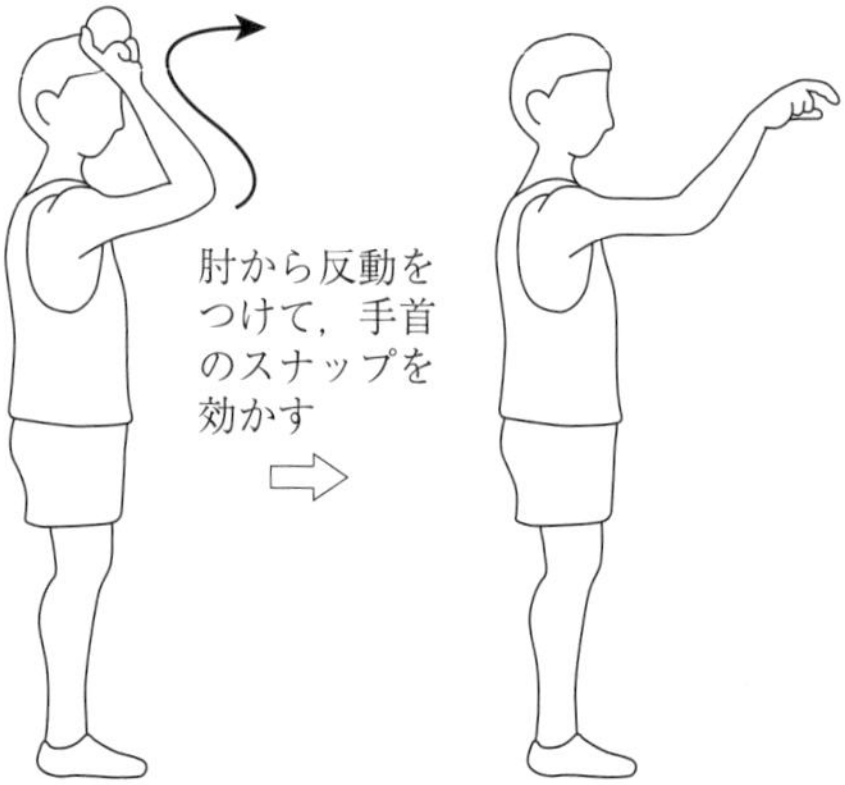
肘から反動を
つけて，手首
のスナップを
効かす

図 3-9　手首だけのスナップ練習．手首の掌屈，手首の回内，肘の反動動作とともに，リリースのタイミングを習得しましょう．

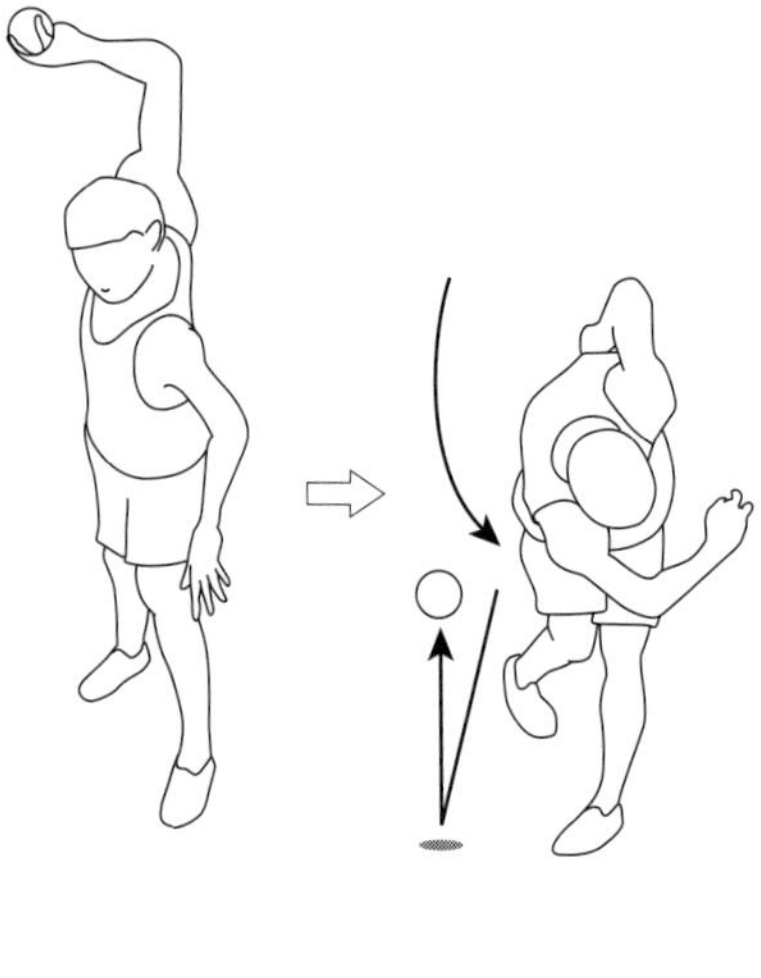

図 3-10　真下投げ．昔遊びのメンコの要領で，ボールを地面にたたきつけてみましょう．体幹の捻転や腕のムチ動作を習得できます．キャッチボールで，相手が捕球することを気にしなくていいので，地面への投げる動作自体に集中できます．

（２）実際のムチを使う

縄跳びで使用するくらいの長さの紐を使って、肩から先で紐にギュンと勢いを与えてみましょう。肩・肘・手首と徐々に関節を伸展させていって、最後に回内動作を行います。最初は動作をゆっくりやってみて、紐にエネルギーを伝えられるタイミングを習得しましょう。波が紐の先に伝われば、うまくいっている証しです。

（３）バットを用いたムチ動作

野球のバットを右手でもって、ゆっくり下から後ろに引き、その後に肘から上にあげて、バットを頭の後ろで大きく回して、コッキング初期の姿勢をとります。そこから、肘と手首を大きく上にあげて、バットと腕が垂直になるまで腕を伸ばします。バットの先端がもっとも高くなる直前から、大きく手首の回内を始めます。バットの重さを感じながら、大きく滑らかに投げ動作で８の字を描くように動かします。腕ではなく身体全体、つまり脚や体幹を使い、バットがもっとも高くなる位置でリリースのイメージをします。このバット投球動作は、８の字がうまく描ければ連続できるので、挑戦してみましょう。

（４）シャドーピッチング

投球動作を、ボールをもたないでやってみます。大きく引き上げた左脚を前に踏み出して前脚の膝を曲げる日本式と、前脚を突っ張るアメリカ式も比較して、自分に合うのはどちらかを確認してみましょう。

（5）真下投げ

昔遊びのメンコの要領で、ボールを地面に勢いよくぶつけてみます（図3-10）。ボールを当てる地面の位置に注意しないと、自分の顔に跳ね返ってしまうことがありますので注意しましょう。はずんだボールがどのくらい高くまで上がるかを競争してみましょう。体幹の捻転から腕のムチ動作まで、投げ動作全体の動きの習得に効果的なドリルです。

第4章　打つ——衝突から学ぶ技

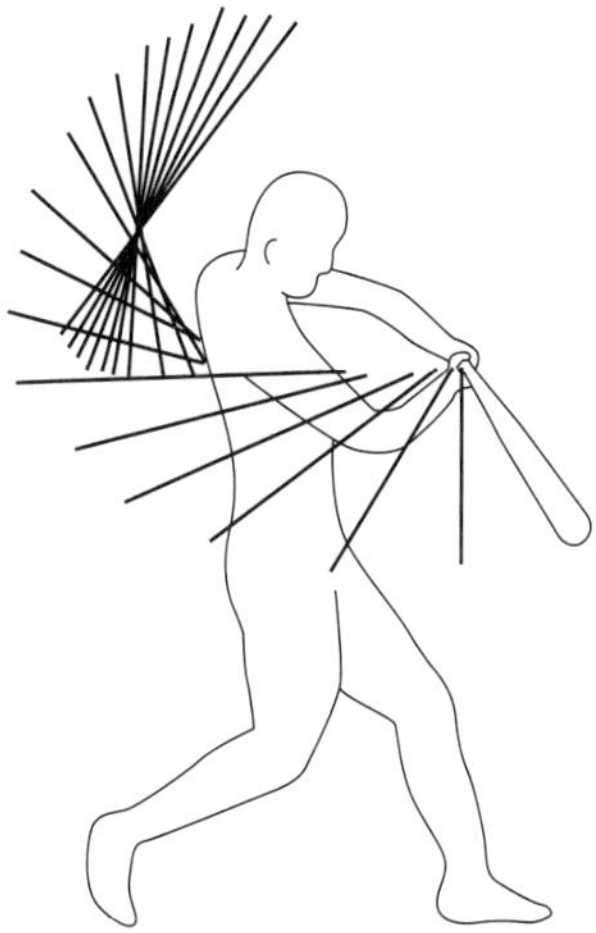

ヒッティング動作とバットの軌跡（平野裕一『打つ科学』大修館書店，1992）．巧みに打つには？

ここまで解説してきた、走る・跳ぶ・投げる動作に比較して、「打つ」という動作はとても多様です。打つ道具の打具も、バット・ラケット・拳などがありますし、打たれる対象道具も、ボール・シャトル・身体などがあります。この打つという現象は、物体と物体の「衝突」として定義することができます。例えば、野球のバットとボールであったり、また、テニスのラケットとボール、バドミントンのラケットとシャトル、サッカーの足とボール、バレーボールの手とボール、そして相撲やラグビー・アメリカンフットボールのフォワードの身体同士の衝突などがあげられます。

本章では、衝突という観点から、まず打つ現象を解説します。重要なことは、打具の反発係数のもっとも高い「スウィートスポット」にボールを当てることが基本にあります。それをめざして巧みに身体をコントロールするのです。この理論を基に、野球のバッティング、テニスのストロークとサーブ、そしてゴルフショットについて、巧みに打つ動作の秘訣を伝えたいと思います。

1　勢いと変化――衝突の基本

「打つ」という衝突は、物体の勢いを表す「運動量（速度と質量の積）」と、運動量をどれだけ変化させられるかを表す「力積（力と時間の積）」の関係で説明することができます。これはニュートン力学の運動の法則の簡単な変形で、「運動量の変化は力積に等しい」というものです。図4-1は、水平面でグリップを机に固定したバットに、ボールが当たって跳ね返る様子を上方からみたものです。ボールがバットに当たって方向を変化させる場合には必ず、ある一定時間に力をかける力積が必要となります。

次節で詳しく述べますが、バットの反発係数（二つの物体が衝突するときの衝突前と衝突後の相対速度の比）のもっとも高い「スウィートスポット」にボールが当たった場合、当たった後の速度は反発係数どおりの速度となります。しかし、バットの先端や根元にボールが当たると、バット自体に余分な回転の力が生じます。そのときには、衝突後のボールの速度は低くなり、バッターは手がしびれたりします。バントでは、ボールがバットに当たるときに、バットを若干引くことで衝突の力積を小さくし、結果として当たった後のボールの速度を下げるということをしています。また、衝突の一種として、キャッチボールの「捕球」を例に力積を考えると、捕球の仕方によって少しだけ、力と時間をコントロールすることができます。相手が投げたボールは一定の運動量をもって向かってきます。その

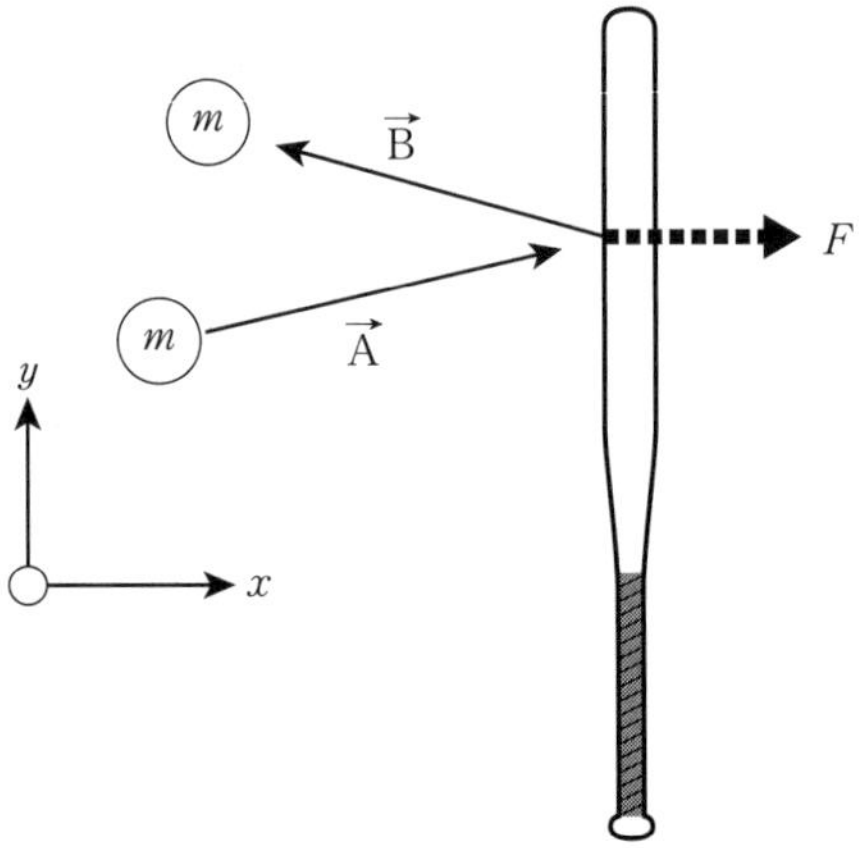

図 4-1　バットとボールの衝突．ボールのもっている勢い（運動量）は，バットに当たった衝突（力積）によって変化します．ラケットやゴルフクラブなど，衝突は必ず，このような運動量と力積の関係が成り立ちます．

ときにグラブを引きながら捕球すれば、ボールがグラブに当たってから止まるまでの時間が長くなるので、力のピーク値が小さくなり、グラブの中の手のひらはそれほど痛くはありません。しかし、ボールを「迎え」にいって手を伸ばしながら捕球すると、ボールがグラブに当たってから止まるまでの時間が短くなるので、力のピーク値が大きくなって、グラブの中の手のひらがとても痛いということになるわけです。

ただ、打つという衝突は、極めて「短い時間」で行われます。例えば、野球のバットとボールの接触時間は二〇〇〇分の一秒ほどですし、ゴルフのクラブヘッドとボールの接触時間もほぼ同様です。テニスラケットはガットの伸縮があるので少し長く、一〇〇〇分の五秒ほどですが、やはり一瞬といえます。このときの「衝撃力」は、ゴルフでは約１トン、野球では数トンにもなると推定されています。

このように打具とボールの接触時間はとても短いので、バントのようにバットを引きながら衝突を迎えるということ以外には、人間が接触の間に衝突をコントロールすることはほぼ不可能なのです。

2　スウィートスポットに当てる

野球の打者がつまらされてポテンヒットを打ったときに、一塁でしびれた手を振ったりしている場合があります。ボールがバットに衝突するときに、バットの反発のよい部分に当たらないと、このように手に大きな振動がきます。野球のバット、テニスのラケット、ゴルフのクラブなどの打具には、もっとも反発係数の高い「スウィートスポット」があります。このスポットに当たらないと、打具に不要な回転トルクがかかったり、振動が大きくなったりするのです。

野球のバットを垂直につるして、硬式ボールをバットのいろいろなところに当ててグリップ部分で受ける力を測定したところ、図4-2のように木製よりもアルミ製のほうがスウィートスポットが広いという結果が得られました。木製よりもアルミ製のほうが部分的な質量つまり重さをバットの先と手前の両端に分散させることができるので、スウィートスポットを広くできるのです。

同様の仕組みは、ゴルフのドライバーにもみられます。昔は堅い「柿の木」のヘッドでしたが、今

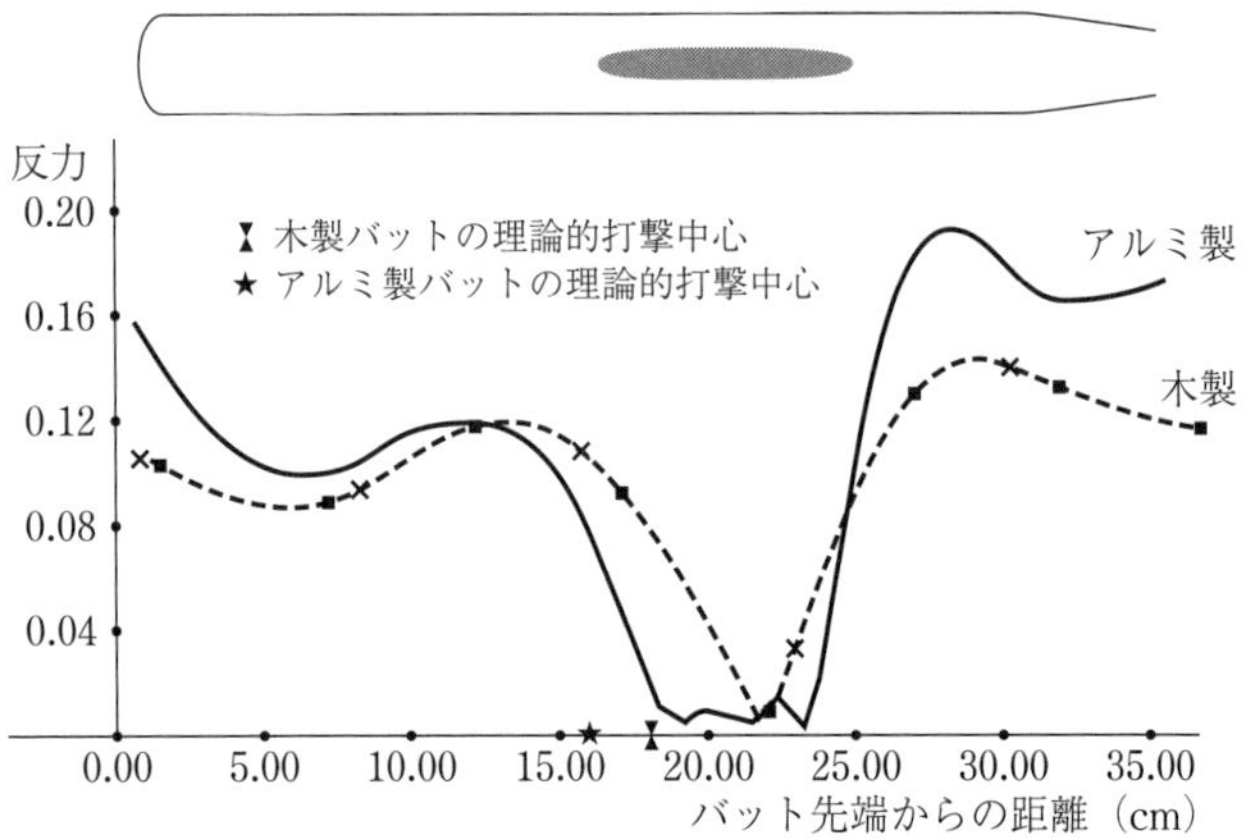

図 4-2　木製とアルミ製バットの打点と振動（平野裕一『打つ科学』大修館書店，1992）．グリップを固定して下につり下げたバットにボールを当てて，手元の振動を調べた結果です．折れ線が下にいくと振動が少なくなりますが，振動が少ない，つまりスウィートスポットは，木製よりもアルミ製のほうが広いことがわかります．

はステンレス製やチタン合金などを用いて、大きいヘッドにし、質量を部分的に両端そして後ろに集めるようにしてスウィートスポットを広くしています。テニスラケットも、昔の木製からメタル製などになって、ラケット面が大きく（デカラケ）、長く（ナガラケ）なって、フレームが振動に強い形（アツラケ）に進化しています（これらのラケットのネーミングがシンプルで、苦笑してしまいますが）。

テニスラケットを握る手の第二・三・四指のグリップ部分に、ストレンゲージという力を測定できる計測機を埋入して、ストロークしたときの握力を測った実験では、もちろんスピンをかけるストローク法によっても違ってきますが、あらかじめ握力測定器で全力で測った最大握力の五〇〜八〇パーセント程度でした。そして、野球でもテニスでも、指導書をみると、インパクトのときはグリップを「ギュッ！」と握れ、と書いてあります。インパクト時にグリップを握るのは指導において妥当のように思えますが、宮下充正博士は、この現象を実験で検証しました。その実験は、テニスラケットのグリップを万力で机の端に固定した「万力ラケット」と、ラケットをただ単に机の上に立てた「棒立ちラケット」の二条件で、テニスボールをラケットのスウィートスポットに当てて跳ね返る様子をビデオ解析するというものです。「棒立ちラケット」はもちろんボールが当たると倒れますが、驚いたことに、ボールがラケットに当たった後のスピードに「万力」と「棒立ち」ラケットの両者で差がなかったのです。つまり、インパクトでグリップを強く握る必要はないという結果なのです。ただし、この棒立ちラケットの実験結果は、ボールがスウィートスポットに当たることが前提です。打点がばらつく初心者はインパクト時にしっかりグリップを握っていると、スウィートスポットを外しても、ボールはコートの中央のネットを越えますが、その分、手首や肘に振動が伝わるというわけです。逆にいえば、スウィートスポットを外す未熟な人ほど振動が腕に伝わり、「テニス肘」の障害になりやすいといえるのです。

また、野球のテレビ放映をみていると、ときどきバットが折れることがありますが、このときに解説者は「ピッチャーの剛速球でバットが折れた」と説明します。剛速球とはボールスピードを指しますが、時速一五〇キロを超える剛速球でも、バットのスウィートスポットに当たれば折れることはありません。スウィートスポットを外すと、それほどの剛速球でなくともバットに不要なトルクがかかり、折れるのです。なので、バットが折れるのは、ピッチャーがすごいのではなく、バッターの技術が未熟といえるわけです。もっとも、バッターのタイミングをずらしてスウィートスポットを外させるのがピッチャーのワザともいえますが。

ところで、スウィートスポットに確実にボールを当てるためには、素振りを繰り返して動作をつくることとはちょっと別の能力が必要になります。それはバットとボールの位置関係やタイミングです。この能力が高いと「センスがよい」などと評されるのですが、これも練習によって身につくものです。ゴルフのように止まっているボールを打つ場合には素振りと実打のフォームにほとんど差がないことが重要です。しかし、相手から来るボールが様々である野球やテニスでは、素振りのフォームをくずしても、ボールをスウィートスポットに当てることが重要になってくるのです。逆にサッカーのフリーキックなどでは、インパクトでスウィートスポットをわざと外すことで、ボールの回転をコントロールして、マグヌス効果（注参照）によって、ボールの軌跡を変えてカーブやシュートボールを蹴っているのです。

（注）マグヌス効果＝野球のカーブやシュートなどの変化球、サッカーのカーブキック、ゴルフのフックやスライスのように、球体が回転しながら粘性をもつ流体中を移動すると、球表面に接する流体が粘性によって回転運動に引きずられ、球体の周りを流れる空気の流速（気流）に違いが生じるために、放物線とは異なる軌跡になります。この球体の回転運動によって、揚力を起こす現象を「マグヌス効果」と呼びます。

図 4-3　バッターはいつも打とうとしてボールを待っています．そして，悪球の場合には打つのをやめるという選択をしています．

3　バッティングの心構え

野球のバッティングは、ピッチャーができるだけ打ちにくいボールを投げてくるのに適応しなければなりません。野球のバッティングに関する基礎研究をみると、ピッチャーから投げ出されたボールの飛来時間は約〇・五秒、バッターのスウィング所要時間が約〇・二秒、ヒトの光刺激に対する反応時間が約〇・二秒かかることがわかっています。バッターはインパクトの〇・四秒前に、打つか見送るかを選択し、〇・二秒前に振る位置を決めるという離れ業をしていることになります。バッターは、そのわずかな時間でボールの情報を収集して判断し、バットの振りをコントロールしなければならないのです。反応時間と動作時間を単純に加えた時間分が打者に必要だとすると、バッターは「投手の手からボールが離れてすぐに、打つか否かを判断しなければならない」ことになるので、この理論では実際の打者の意志、つまり振るか否かの判断を説明できないことになります。ただ、打つ動作を始めてから「打つのを待て」という指示を出すと、バットを止めるための左大胸筋と左上腕二頭筋が働くという実験結果があります。したがって、バッターは選球してからスウィングを行うか否かの判断をしているのではなく、バッターは「つねに打とう」として動作を起こして、悪球であればスウィングを中止しているということが、この実験結果からわかるのです（図4-3）。

ピッチャーの手からリリースされたボールの軌跡は、リリース位置、初速度、ボールの回転によって決まりますが、例えばリリース位置は右投手と左投手で左右二メートル程度異なります。打ちにくいピッチャーは、練習で想定しにくい左ピッチャー、長身のピッチャーなどで、投げられたボールとしては、外角低めの遠い球、縦の変化、手元で変化する球が一般に打ちにくいとされています。また、バッターの投球軌跡を追うさいの眼球運動の実験で、バッターにインパクト位置でボタンを押させると、球速が速いほど、その反応が安定するまで多くの球数を要します。これは、情報を収集する時間が短いほど、正確な判断が難しくなることを意味しています。加えて、球種が様々になれば、さらに複雑になります。ジャイロボールやフォークボールの軌跡は、直球と見極めが難しく、飛行時間も短いので、バッターにとってはもっとも打ちにくいボールになるのです。

4　巧みの極み——イチローの打法

野球の大リーガーのイチロー選手（鈴木一朗、マリナーズ）は、二〇〇四年にシーズン最多二六二安打、また二〇一〇年には一〇年連続二〇〇本安打という大リーグ新記録を樹立しました。近年、日本選手の大リーグでの活躍は目覚ましく、次々に金字塔が打ち立てられています。これは、スポーツ文化の輸出であり、日本人として誠に痛快です。ここでは、日本人大リーガーを牽引するイチロー選手のバッティングを考えてみることにします。

イチロー選手は本来右利きですが、幼少期にバッティングだけを逆に、つまり右投げ・左打ちにしたそうです。その理由は、通常右ピッチャーが多いことから、投手のボールリリースを見やすくして打ちやすくすることと、一塁までの走距離を短くするためだったそうです。野球の世界で時々話題になる「利き手-利き目が対側にあるほうがバッティングに有利」という「アイ・ドミナント理論」は関係ないようです。

では、どのようなところがイチロー選手は優れているのでしょう。ピッチャーはバッターのタイミングをずらすために、様々な工夫をしていますが、結果として、イチロー選手はそれに適切に対応しているわけです。イチロー選手の能力の高さをまとめると、ピッチャーからのボールの予測・動体視力の高さ・身体のキレともいえるスウィング速度の高さ・バットコントロールの巧みさ・一塁へのダッシュ力の高さ、といってよいでしょう。バットにはもっとも反発係数の高いスウィートスポットという部分があることを解説しましたが、ここでボールをとらえれば、バットに余計なトルクがかからず、つまり手がしびれることもなく、容易に内野手の頭上を抜く打球を打つことができます。

イチロー選手はこのスウィートスポットに当てる能力が秀でているといえますが、イチロー選手のスウィング動作の中で、特に長けていることは何でしょうか。平野裕一東京大学野球部元監督は、腕の使い方が巧みだといいます。通常、インパクト時には両肘を伸ばすことが多いのですが、イチロー選手のバッティングは、ピッチャー側の腕、特に右腕を伸ばすことなく、余計な体幹の回転をせずにバットを回せるのです。このようにスウィングしていると、タイミングを外された場合でも腕を伸ばすことで対応できることになります。平野氏は「前の腕がバッティングの邪魔をしない」という表現でイチロー選手のスウィングを説明しました。加えて、日本のバッターは「最短距離でバットを出す」ことを目指して、振り出しでバットを長軸方向に引っぱりすぎる欠点があるといいます。これでは、バットを引き抜いた後に回すことになるので、時間もかかり、バットとボールが当たる角度もスライスになりがちになってしまいます。それがないのがイチローのスウィングなのです。

5　巧みに打ち返すための技——バッティングドリル

野球のピッチャーとバッターのように対戦相手がいて、ピッチャーがなるべく打ちにくいボールを出してくるのに対応して巧みに打ち返す場合は、相手との相対関係になります。自分の力量がかなり高くても、相手の力量がもっと上ならば、相手の勝ちになります。このように、対戦相手との相対的な関係で巧みさが決まる動作を「オープンスキル」といいます。ここではバッティングスキルを上げ

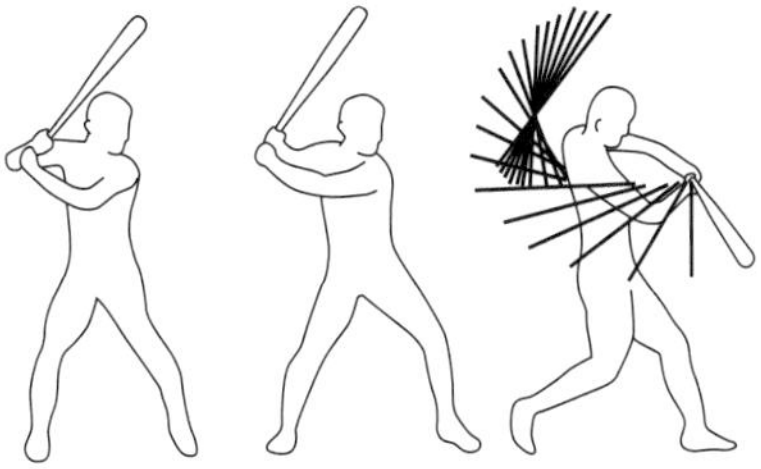

図 4-4　ヒッティング動作とバットの軌跡（平野裕一『打つ科学』大修館書店, 1992).

るための練習方法について解説します。

野球のバッティングでは、まずは素早く振る、つまりバットの先端スピードを速くすることができなければなりません。その土台は、地面反力を受け止める脚にあります。右打ちの場合、両足を肩幅より若干広めに構え、少し膝屈曲させておいた右脚を伸展させて、そのときの地面反力ベクトルを利用して、右股関節を内旋させて骨盤を回転させせます。これが鋭いと「腰のキレがよい」というように形容されます。骨盤が回転されても上半身の肩や腕、そしてバットは後ろに残っているので、そこでいわゆるタメができます。その後に骨盤の回転に引きずられて上半身が回転してきますが、この骨盤と上半身の回転のズレを「捻転」といいます。この捻転は、体幹の反動動作を使っています。このような動作ができればバットがスムーズにヒッティングポイントまで出てきます。けっして腕の力で振ろうとしないことです。

この捻転を体得するには、バットをもたずに右手を右腰に当てて、右手で右腰を勢いよく押して腰だけを先に回転させることでコツをつかむことができます。その直後に、バットをもって腰が先に回転する感覚で脚と腰からスウィングします。体幹の捻転でバットが振れれば、腕に余裕ができるので、様々な球種に対するバットコントロールが容易になります。そして、インパクトでは、投げ動作の「かいなを返す」（第3章の4節）で説明したように、右手は回内してバットの先端スピードを上げます。

また、ピッチングマシーンを使ってバッティング練習をしていると、ボールをよく確認しないで反応動作を起こすようになってしまう、つまりワンパターン打撃になってしまう短所があるといわれています。彼末一之博士は、野球のピッチャーの打たれにくさは、ボールの速さや回転よりも、一般的な球種の平均値に比べて、いかに逸脱しているかであると指摘しています。規則的な刺激に対して、予測が難しい、一風変わったピッチャーのほうが打ちにくいというわけです。ただし、リリース位置、スピードと回転の組み合わせ、投げられるコースを一球ごとに変えられる機能をもつピッチングマシーンが開発されれば、練習量は打者のほうに分があり、有利になると推定できます。

6　華麗なショットを打つために——テニスストロークドリル

テニスストロークも、相手との相対関係で決まるオープンスキルです。一般に、オープンスキルの場合、相手が打ちにくいボールを出してくるので、テニスのようにコートのスペースが広いときは特に、どこに打ってくるかを「予測」しなければなりません。テニスで相手のストロークの方向を予測するには、相手のスウィング動作とともにラケットの面などが情報元になります。相手のストロークを見ていて、ワンバウンドして放物線の頂点を過ぎてから落ちてくるボールを打つときは、スウィング動作やラケット面の情報からどこに打ってくるかを予測しやすくなります。しかし、相手がボールのバウンド直後に打つライジングボールの場合、予測が難しく、またコート内での自分の移動時間に余裕がなくなります。クルム伊達公子選手は、このライジングボールをいつでも正確に打てる能力があることが、大きな特長となっています。予測した後に、コート内で身体を移動させるには、第1章の5節「ジグザグ走の極意」で解説したステップターンや方向転換走の能力が必要になります。

さて、テニスのストローク動作は、野球のバッティングと同様に、右打ちの場合、右脚で地面反力ベクトルをコントロールし右股関節を使い骨盤を回転させます。骨盤が回転されても上半身の肩や腕そしてラケットは後ろに残してバッティングのようにタメをつくります。その後に骨盤の回転に引きずられて上半身を回転させて、ラケットを振り出します。この骨盤と上半身の回転のズレ、つまり捻転をいかにうまく利用できるか否かでストロークの良し悪しが決まります。あとは、ラケットのスウィートスポットにボールを当てて、逆に相手が予想しないところに打ち返すことを目標とすることでステップアップしていきます。

テニスラケットとボールとの接触時間は、前述したように、一〇〇〇分の五秒程度なので、ラケットとボールが接触している間に意図的にボールにスピンをかけることは不可能です。そこで、トップスピンを打ちたい場合は、ラケットの面の角度を変化させないで、下から上へとラケットを平行移動

図 4-5　テニスストローク．トップスピンを打つには，基本的にラケット面を下から上に平行移動させます．ボールをよく見て，ラケットのスウィートスポットにボールが当たるようにします．

するようにストロークをして、トップスピン回転をかけます。トップスピンはマグヌス効果によって、サイドラインをオーバーしそうなボールをコート内に入れるという特長があります。

ここで、テニスストロークが上手になるための練習法を紹介しましょう。右手フォアハンドで打つさいの基本動作は、左手を前に出して、右手ラケットを後ろに引いて準備します（図4-5）。腰から上の胴体を後ろに捻っておくことがポイントです。そして、左腕を後ろに引きながらスウィングしますが、スウィングではラケット面を下から上に平行移動させるようにします。インパクトの瞬間までボールをよく見て、ラケットのスウィートスポットにボールを当てるようにします。けっして、手首でラケットをコントロールしようとしないことです。また、バックハンドでは、左手でもグリップを握って後ろに引いて準備します。そのさい、相手に自分の背中が見えるくらいに上体を捻転させます。そして、上体を捻り戻しながら、ラケットが後からついてくるようにスウィングします。バックハンドストロークでも、ラケットは下から上に平行移動させますが、インパクト付近で右手の親指を前に押し出すようにすると、ラケットをうまくコントロールすることができます。

7 エースをねらえ！――テニスサーブドリル

テニス、バドミントン、卓球、バレーボールなど、ネットをはさんだ対人競技は、サーブからゲームが始まります。バドミントンや卓球のサーブは、戦術として、相手に攻撃をさせない、つまりスマッシュを打たせないように、短く回転をかけたサーブを出します。一方、テニスのサーブは攻撃的で、レシーバーのラケットが届かないところにエースを打ちこむことが目標です。テニスのサーブのスピードは、男子が時速二一〇キロそして女子が一七〇キロ前後で、ゴルフのドライバーショットの約二五〇キロやバドミントンのスマッシュの約三五〇キロには及ばないものの、野球のピッチャーの投球スピードは優に超す速さです。このテニスサーブで、エースをとるにはどうしたらよいでしょう。

テニスサーブの動作自体を目を凝らしてみてみると、野球のピッチャーのオーバーハンド投げにとても似ていることがわかります（図4-6）。まず、トスを上げながら両脚の膝を若干屈曲させて身体を沈め、そしてトスしたボールが落ちてくるタイミングに合わせて、膝を伸ばしながら体幹を捻転させます。その結果、肩関節の並進スピードが高まり、あとは肩から先の腕をムチのように動かします。

つまり、オーバーハンド投げの特徴である脚と体幹でつくったエネルギーを、腕のムチ動作を通して流すという機構と一緒です。そして、ストレートボールはもちろん、ボールの回転軸が斜め縦にあって横回転するスライスサーブでさえも、野球のピッチャーのカーブ投法と同じように、インパクト直前から手首の回内が始まります。野球のピッチングよりも、ラケットをもっているため手首から先が長くなるので、「かいなを返す」回内動作が大きな役割を果たすことになります。

このテニスサーブを上達させる方法は、オーバーハンド投げがうまくなることです。投げる方向に胸を向けた、いわゆる女の子投げの人は、テニスのサーブでも同じような動作になります。テニススクールに通う中高年女性を対象にオーバーハンド投げの練習を課したところ、彼女たちは、動作の改善のスピードは遅いものの練習によってオーバーハンド投げがうまくなり、その結果、テニスサーブ

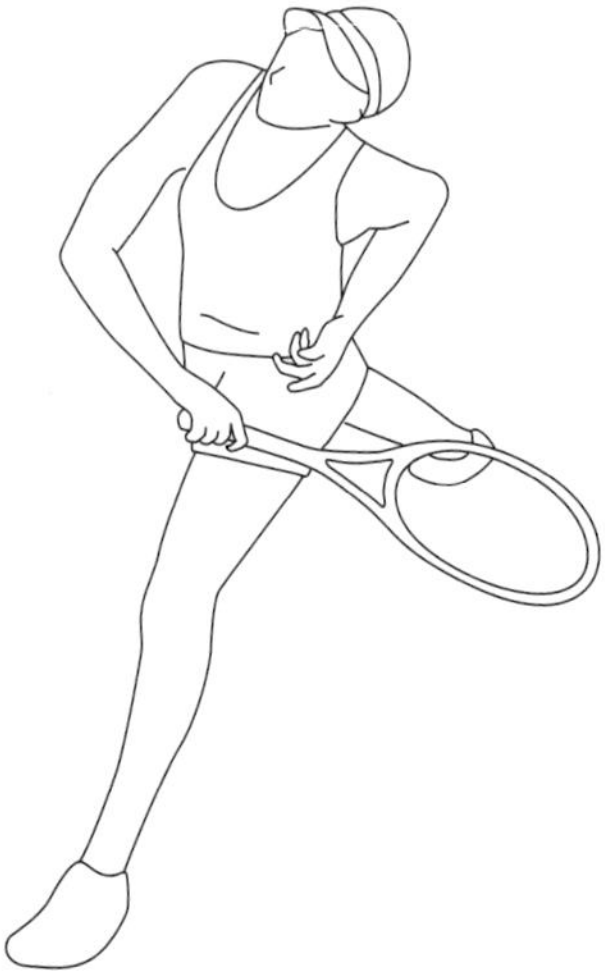

図 4-6 テニスサーブはオーバーハンド投げと同じ動きをします．脚の伸展と体幹の捻転でエネルギーをつくり，腕のムチ動作でエネルギーをラケットまで流します．最後は回内でラケットのヘッドスピードをさらに高めます．

も改善されました。もちろん、神経系の発達の著しい幼児期や小学生のときにオーバーハンド投げを練習するに越したことはないのですが、中高年になっても努力すれば改善されるので、あきらめないことが大切なのです。

それではテニスサーブがうまくなるドリルを紹介しましょう。テニスサーブでは、できるだけ大きな動作で、インパクトが高くなるようにします。そのための準備として、ラケットよりも重い野球のバットでゆっくりとした大きな動作を練習してみます（「ムチ動作」（第3章2節）参照）。そのさいに、肩から先が徐々に、つまり肩→肘→手首とタイミングをずらして伸びていく、ムチ動作になるようにします。そして、インパクトの直前から、手首の回内「かいなを返す」を行います。バットで大きな動きをつかんだら、実際のラケットにもちかえて、まず素振りをしましょう。次にボールを実際に打ちますが、最初は、相手がいると気にしてしまうので、壁に向かって、あるいは誰もいないコートに向かって打ってみましょう。そのさい、できるだけ遠くへ打つようにして、徐々に落下地点を短くしていくと、ボールをコントロールする技が向上していきます。

8　再現性が鍵——ゴルフショットドリル

ゴルフのように、静止しているボールを打つ動作は、ショットが成功しても失敗しても打った本人の責任です。この動作は、自分の中で閉じているので「クローズドスキル」といいます。

一般的なゴルフのスウィングは、足は肩幅程度に開き、上肢は両肩と両腕そしてグリップでできる三角形を保つようにアドレスします（図4-7の1）。バックスウィングでは、肩を回すようにしてクラブをトップオブスウィングまで上げていきます（同図の2〜3）。両足を地面にはりつけておいて体幹を捻り上げます（図同の3）。そして、ダウンスウィングでは、両脇を締めアドレスの状態に戻すようにして、インパクトの瞬間は腰の壁をつくってグリップの並進移動を止めるようにすると、ヘッドがグリップを追い越して、結果としてヘッドが芝の上を走ります（同図の4）。インパクト後のフォロースウィングは、大きく自然に身体が回るところまで回します（同図の5〜6）。フォロースルーはインパクト後なので力学的に打球の飛行に関係ないのですが、意識しやすいフォロースルーをコントロールすることによって、インパクトまでの動作によい影響を与えられるという利点があります。

この動作がいつも同じテンポと軌跡で行うことができれば、ボールは選んだクラブのロフト角度どおりに飛んでいきます。しかし、スキルレベルが低い場合、なかなかそのようにいかないのが通常です。では、何が問題なのでしょうか。上記の理想とするスウィングを、ボールを打たないで、つまり素振りならばできるという人は多くいます。逆にいえば、素振りで理想とする動作ができないのに何度も素振りを練習することは、習字でへたな見本を見て何度も練習するのと同じで、効率が悪いどころか、変な癖がついてしまいます。まず、素振りで目標とする動作を習得することです。ただし、素振りでうまくできてもボールを置いて打つ条件になると、途端にフォームが変わってしまう人がいます。つまり、「素振り」と「実打」の違いです。この両者の差は、スキルレベルが低いほど大きくな

図4-7　クローズドスキルのゴルフショットは，素振りと実打の差を少なくすることと，いつでも同じ動作ができる再現性能力を高めることです.

ります。上級者は実打であっても素振りとまったく同じ動作が可能で、それが高いスキル能力だといえるのです。これは多分に心理的影響が強く、これこそ、ゴルフが心理的スポーツだといわれるゆえんなのです。

もう一つは、いつでも同じ動作を遂行できるか否かです。この能力は「再現性」という言葉で表されます。いつどこでも同じスウィングができれば、ボールはクラブのロフト角どおりに飛んでいきます。以前、米PGAツアーのメモリアルトーナメントを見学したことがあります。そのトーナメントで優勝したフレッド・カプルス選手の試合前の練習を見て、本当に驚きました。なぜなら、彼のスウィングも打球も、ビデオに録画された映像の再生を繰り返し見ているかのようだったからです。彼はショートアイアンで最終チェックをしていたのですが、何度打っても一〇〇メートル以上の遠い地点の、ほとんど同じところにボールが落下するのです。我々はゴルフコースを回って、ときどきピンにからむショットを打つこともできますが、プロがいつも同じように狙ったグリーンに落としてくるのは、ものすごい再現性の上に立ったワザをもち、そのうえで風やボールの状態（フェアウェイかラフか、など）を考慮して適切に打てる多様性を身につけているからこそだということを思い知ったのでした。ゴルフスウィングのようなクローズドスキルは、図4-7のような素振りと実打の違いを極力少なくし、その動作がいつでもできる再現性能力をもつことだとまとめられます。

それでは、ゴルフショットが上達する練習法を紹介しましょう。グリップの左手はしっかり握り、肘はリラックスします（使う筋が異なるので練習すれば区別できるようになります）。肩と体幹はなるべく固定するようにして脇を締めます。最初に、バックスウィングでシャフトを地面と平行まで上げて、フェイスの向き（左手の甲の向きと同じ）が真正面を向いていることを確認します（図4-7の2）。次にインパクトからフォロースルーで、やはりシャフトを地面と平行まで上げてフェイスの向きが後ろに向いていることを確認します（同図の5）。つまり、フェイスは平行移動させるのではなく、フェイスの面を開いて閉じることでインパクトすることを動きで覚えます。これが確認できたら手首のグリップとシャフトの位置関係を変えずに（同図の2）、トップオブスウィング（同図の3）までゆっくり大きく上げていきます。その際、体幹を十分に捻り、左肩が真正面まで来ていることを確認します。そして、ダウンスウィングでは一気にフィニッシュまで振りきります。本物のボールは練習場に行かないと打つことはできないですが、穴のあいたプラスチックボールならば、少しのスペースがあれば庭先などでも打つことができます。要点は、腕はリラックスしていて体幹の捻転でスウィングすることができると再現性が高まります。その際に、左グリップはしっかり握ることに注意しましょう。

コラム　凸凹が好み？――ゴルフボールの不思議

回転して飛球するボールは、周りの気流の変化によって軌跡が変化しますが、その現象は「マグヌス効果」と呼ばれます。マグヌス力は回転速度と流体の粘性に比例して、移動方向に対する垂直の力、すなわち揚力となります。このマグヌス効果は、球体の表面によっても大きく変化します。

ボールが空気中を進むときに、ボールの後ろには、船が水面を進んだときの後尾の白い渦と同じように空気の渦ができます。スピードが遅い場合、空気は層状に秩序よく流れて、ボールの周りには層流境界層ができます（図1）。この状態では、後方の空気の渦が少ないために空気抵抗は小さくなりますが、ボールのスピードが速くなるにつれて層流境界層が崩れて、ボールの後面に渦ができて空気抵抗が大きくなります（図2）。しかし、ボールのスピードがさらに速くなると、ボールの表面を流れる空気が層流の状態から、より不規則な渦が混じりあう乱流境界層の状態になります。この層は物体からはがれにくい性質なので、ボールの後方の空気の渦が少なくなって、つまり圧力差が小さくなって、それ以前よりも空気抵抗が小さくなります（図3）。このように、層流境界層から乱流境界層に移って、空気抵抗が突然小さくなるときのスピードを「臨界速度」といいます。ゴルフボールの臨界速度は時速二一六キロ程度、硬式野球のボールは時速一四四キロ程度といわれています。この臨界速度は、ボールの表面の状態によって異なっていて、表面が粗いほど低いスピードで臨界速度に達します。

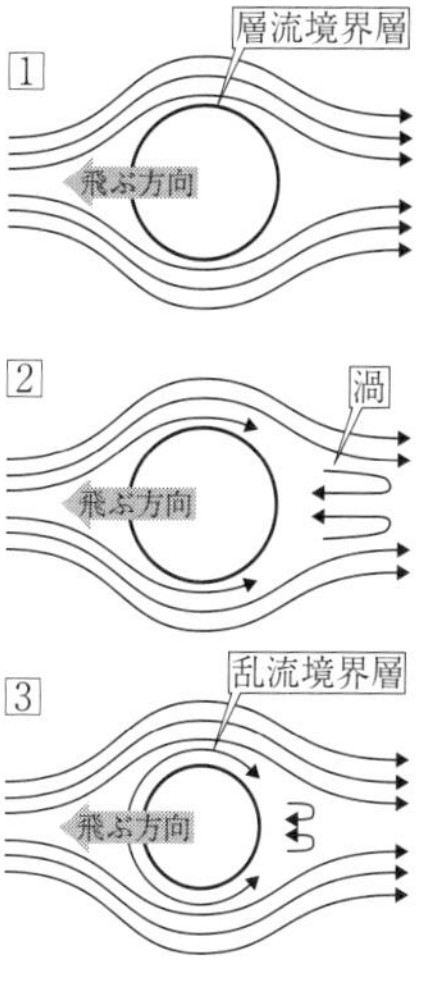

II

脳・骨格筋・動きの本質

——さらなるスキルアップのために

第5章　脳——運動のコントロール

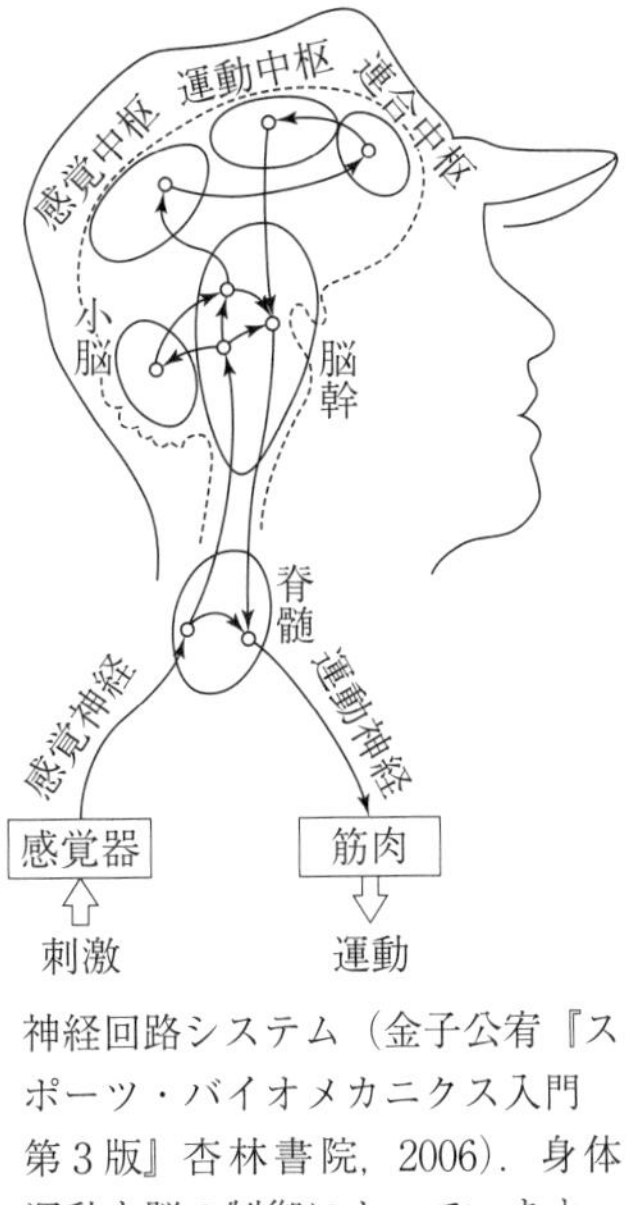

神経回路システム（金子公宥『スポーツ・バイオメカニクス入門 第3版』杏林書院, 2006）．身体運動も脳の制御によっています．

自然科学の分野では、ラストフロンティアともいえる脳の記憶の仕組みが、二〇世紀末から二一世紀初頭にかけて、測定機器の急速な発展と脳科学者の努力によって、かなり明らかになってきました。本章では「脳でコントロールする運動」という観点から、そのメカニズムをまとめます。

身体運動が生じるときには、脳で企画された情報が、運動中枢そして錐体路・錐体外路、運動神経を通って効果器の筋まで届けられます。その中の「運動神経」を流れるインパルスは運動のできばえの良し悪しに関係してはいません。つまり、運動神経がよい、あるいは悪いというのは誤解です。また、錐体外路には多数の反射がつまっていて、巧みな運動を支えています。そして、筋活動によって行動が起きたら、それを修正するフィードバック経路が脳まで戻ります。このループを繰り返すことが、巧みな運動の精度を上げる働きかけ、つまり「練習」となります。本章を通じて、スポーツや身体運動も、脳の制御によっていることを理解してほしいと思っています。最後に、教育の文武両道についても言及します。

1　動作をプログラムする脳

脳の外形は、解剖の本や模型などで多くの人が見たことがあると思います。最初に、脳の形と機能を概観してみましょう。人間の脳は、大脳半球・脳幹・小脳に分けられ、表層部分を皮質（大脳皮質と小脳皮質）、内部のものを核といいます。大脳皮質はおおまかに四つの領域（前頭葉、頭頂葉、後頭葉、側頭葉）に分けられます（図5-1）。大脳皮質の前頭葉と呼ばれる部分には、運動に関わる中枢が多数存在していて、もっとも有名なブロードマンの第四野という運動野には、身体の骨格筋に対応する神経細胞（ニューロン）が整然と並んでいます。そして、大脳半球を中心溝にそって縦に切った断面図で、神経分布の輪郭をたどれば人の姿になるとまでいわれています（図5-2）。運動野は、運動を計画して命令をだす中枢です。大脳皮質はさらに視角野、聴覚野、嗅覚野、味覚野などといった細かい区分があり、この領域では五感をはじめ、あらゆる感覚器官の受容器が受け取った外界の刺激を電気信号（インパルス）に変換させて処理します。自分の意思で起こす随意運動は、まず身体の各種受容器からのインパルスや記憶に基づくニューロンの興奮が、全体として特定の型をなして運動野に送り込まれ、総合的に分析されて動作のプログラムがつくられるのです。

大脳皮質以外にも、脳には大脳基底核、小脳など、多くの重要な運動中枢があります。大脳基底核は、運動における動作の順番やタイミングを調整して、運動を滑らかにする役割があるので、随意運

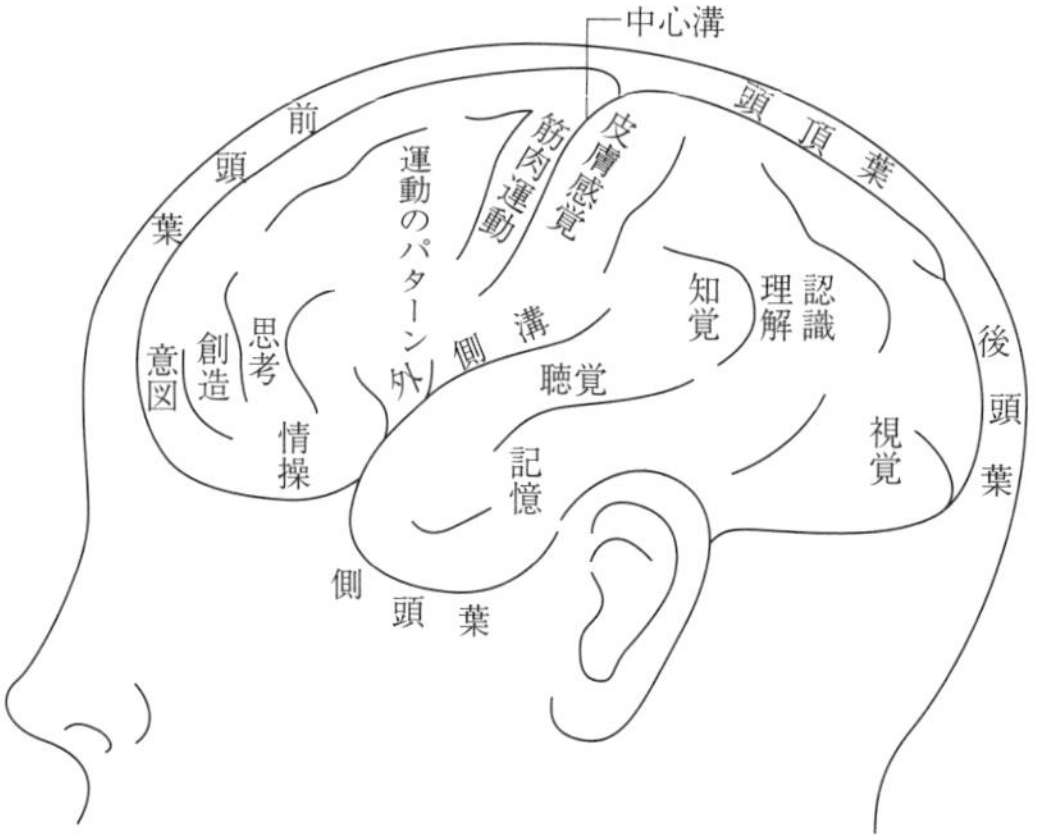

図 5-1　大脳皮質の区分（時実利彦『脳と人間』雷鳥社，1968）．脳の部位によって，扱う領域が異なっています．

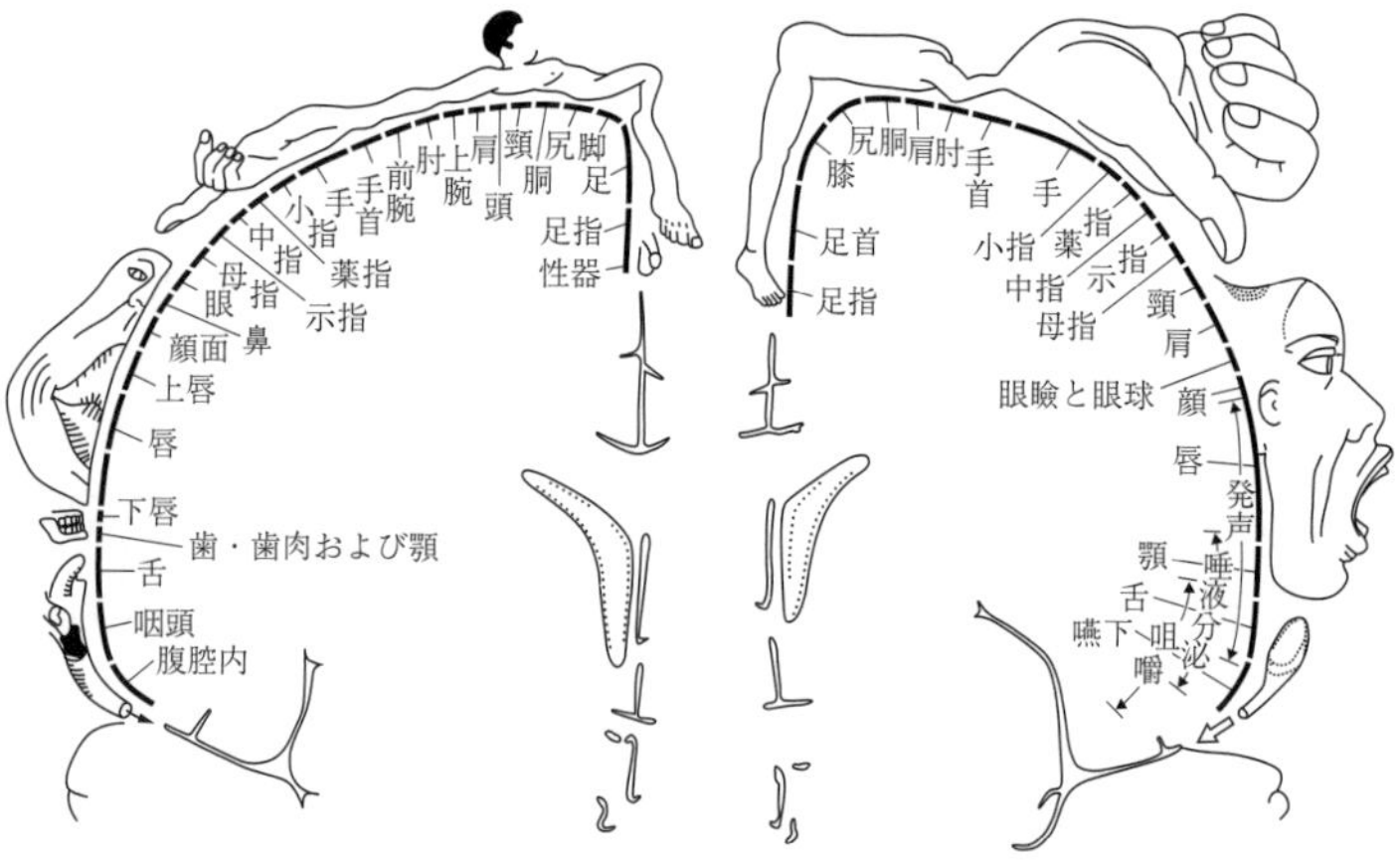

図 5-2　ヒトの新皮質の運動野（右半分）と体性感覚野（左半分）の機能局在（時実利彦『脳の話』岩波新書，1962）．図 5-1 の中心溝を開いて，感覚と運動を扱う分野を示したものです．顔や手の分野が広く，とても繊細なコントロールが可能なことがわかります．

動の強さの調節「グレーディング」や順序づけ「タイミング」に関係します。また、小脳には筋肉の運動を微調整して、運動の正確性を高める役割があります。身体の姿勢制御「ポジショニング」には小脳が深く関わっていると考えられています。

そして、大脳皮質で処理された信号は、脳の中心付近にある海馬に集められます。海馬は集められた信号を整理し、一時的に記憶をたくわえる働きを担っています。海馬でつくられ、少しの間保管された記憶は、最終的には側頭葉などの大脳皮質に保存されると考えられています。

このように、様々な領域をもつ脳の中には、ニューロンが無数につまっていて、それぞれのニューロンは軸索という手足の先のシナプス間隔を介して他のニューロンとつながっています。ニューロンでは、インパルスという微弱な電気信号を発生させて、軸索を通じて他のニューロンに信号を送りますが、このニューロンの経路をインパルスが流れることによって、感覚・思考・運動などが生じると考えられています。

2　記憶のメカニズム

コンピュータと脳、つまり二進法を取り入れたコンピュータのCPUと脳の中を電気信号が走る様子はとてもよく似ています。コンピュータのプログラムは、一度作成してしまえば、メイングラムのスタートを指定するだけで、何度でも自動的に実行できます。人間の動作も、繰り返し行うことでプログラム化してしまえば、あとは例えば「歩く」という動作全体の意思を働かせるだけで、無意識に左右交互に四肢を動かし歩行することができます。

しかし、コンピュータと脳は異なるところもあります。例えば、コンピュータでつくった文書データは、意図的に消さない限り、またハードディスクが壊れない限り、ずっと残っています。一方、人間の脳は長期に記憶する情報もありますが、それを忘れたりすることもあります。記憶の保持時間に注目した場合、数時間程度で忘れられてしまう「短期記憶」と、長い間、つまり数年または数十年にわたって覚えている「長期記憶」とに分けられます。

人間の脳の中には、約一〇〇〇億個のニューロンがあるといわれています。記憶するときには、前述したように、脳のニューロンの中を信号が通ります。記憶前と記憶後の脳のニューロンを比較してみると、その回路には記憶前と後で変化が起きて信号の通り方もまた変わってきます。そして、この回路が変化した状態を維持することが「情報を記憶する」ことであると脳科学者は考えています。

ニューロンの回路に信号が通った後は、ニューロンの回路が変化して、信号の伝達効率がアップします。この伝達効率のアップは、信号が流れた回路にのみ起こります。ニューロンは、「回路を変化させて、さらにそれを維持する力」をもっていて、それが記憶の基になるというわけです。これを「ニューロンの可塑性」といいます。そして、変化した後のニューロンに同じように信号を通せば、何度でも同じ記憶を思い出すことができるのです。この現象は「長期増強」といって、これが基本的な記憶の原理だと考えられています。これは、漢字や九九を覚えること、そして鉄棒でさか上がりをすることと、オーバーハンドでボールを投げることなど、すべて同じシステムによっているといっても過言ではないのです。

もう少し詳しく説明しましょう。脳で流れるニューロンの信号には、二つの種類があることがわかっています。一つのニューロンの中を伝わる電気信号の「伝導」と、ニューロンとニューロンのすき間、つまりシナプスを伝わる化学信号の「伝達」です（図5-3）。最初にニューロンを出発した信号は、途中でナトリウムイオンと接することで秒速一〇〇メートルの電気信号となり、軸索を通っていきます。シナプスにたどりついた電気信号は、ニューロン間を飛び越えるために、ここで化学信号に形を変え、シナプスのすき間を一〇〇〇分の一秒で飛び越え、新たなニューロンに到着します。すき間を飛び越えるのは、ちょうど野球のピッチャーがキャッチャーにボールを投げるようなものです。各ニューロンには、シナプスが数千から数万個もあり、それぞれのシナプスからひっきりなしに電気信号が届けられるのです。そこで、細胞体では、これらの電気信号を整理・足し合わせて「多数決」を行います。その量が一定量を超えた信号だけを、軸索経由で他のニューロンへと送り出すのです。逆に一定量を超えなかった場合には、その信号は無視され、回路を流れる信号が途切れることになります。例えば、キャッチャーが何人も横に並んでいて、一人のピッチャーがボールを投げる状態を想像してみてください。ピッチャーは情報を整理して試合展開がもっとも適切にいくためのキャッチャーを一人選択してボールを投げる、あるいはどのキャッチャーへもボールを投げないということを、回路生成では行っているのです。

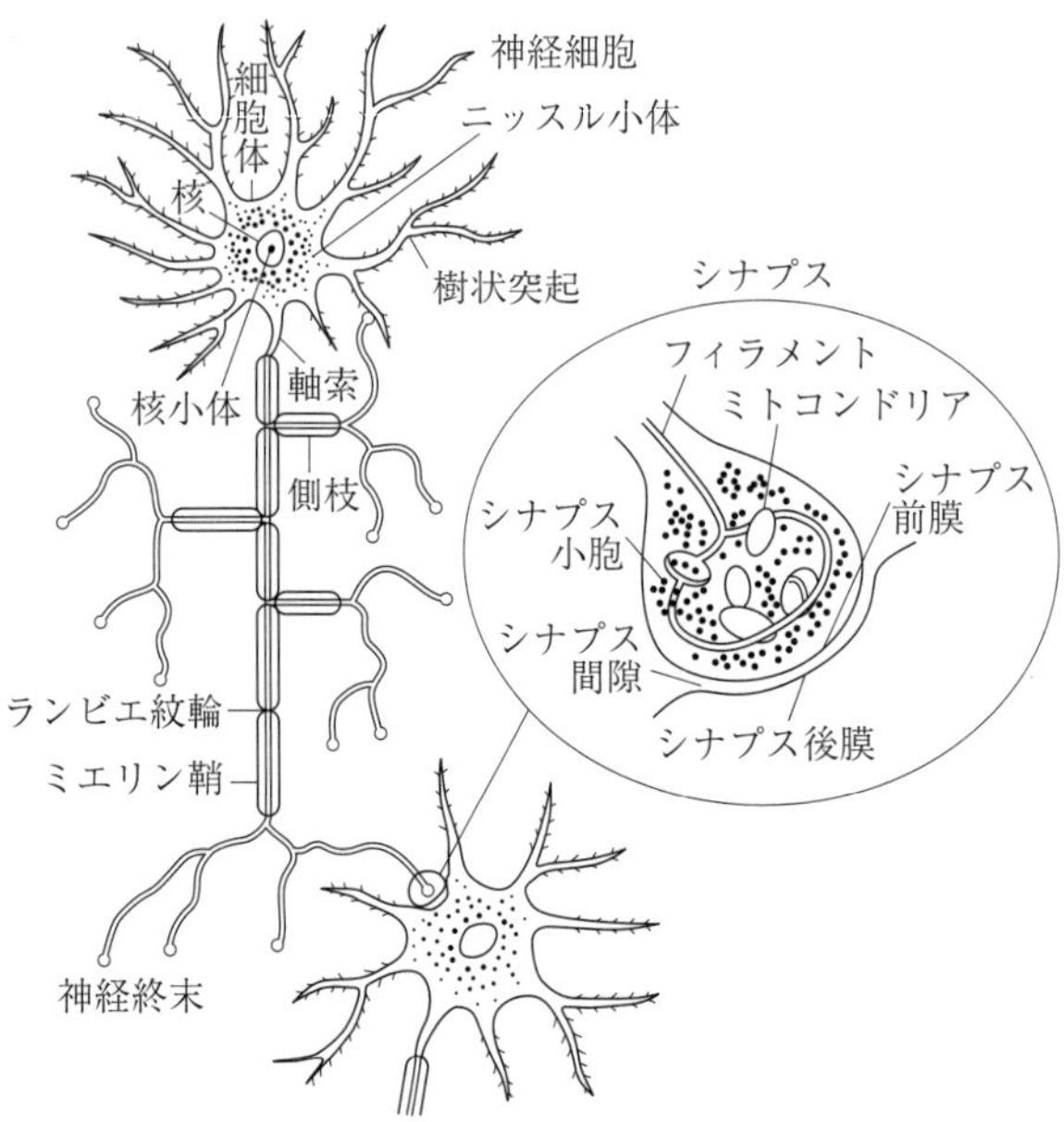

図 5-3 ニューロンとシナプスの構造（川上正光・本間三郎編『脳の働きと独創』朝倉書店，1980）．1つのニューロンから，シナプスを通って，次のニューロンへと信号が伝達されます．

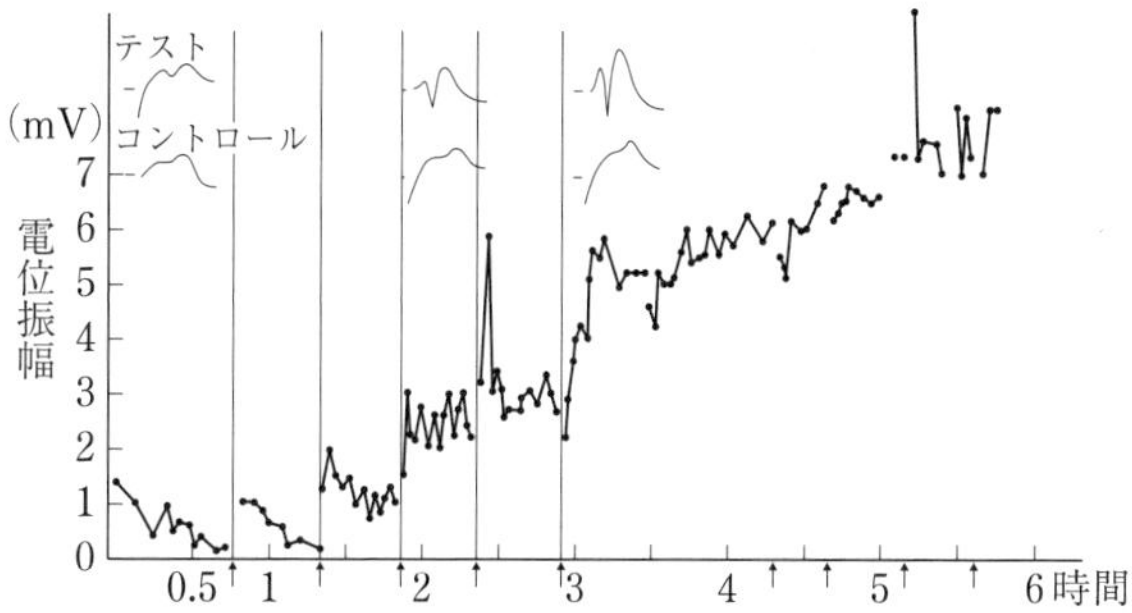

図5-4　高頻度刺激による海馬ニューロン応答の長期増強（Eccles, J. C. *et al.*, *The Understanding of the Brain*, 2nd ed., Mcgraw-Hill, 1977）．高い頻度の刺激を与えると，次第に同じテスト刺激に対するニューロンの応答が大きくなっていく様子がわかります．

では、記憶する、つまりシナプスの伝達効率をよくする長期増強は、どのようにしたらいいのでしょうか。シナプスで化学物質が取り込まれるさいに、受け手側の受容体が開き、ナトリウムイオンとともに取り込まれます。ところがこれ一回ではシナプスの信号伝達はよくなりません。シナプスの受容体は、化学物質がくっつくと開く開閉式なので、短時間に繰り返し信号が送られてくると次々と受容体が開きその数が増えていきます。受容体が増えれば当然、流れ込むナトリウムイオンの数も増えてくるので、受け手側のニューロンに強い信号が伝わり、多数決によって他のニューロンへと信号が伝達されていきます。このような状態は即座に起こり、そして数時間ほど続きます。ところがそのまま放っておくと、増えた受容体の数も、また元に戻ってしまいます。これが「短期記憶」です。つまり、今日の朝食のメニューを数時間なら覚えていますが、一週間たつとそのメニューを忘れてしまうのは、このような脳の仕組みからなのです。

長期記憶は短期記憶をさらに安定させたものだといえます。短期記憶を何度も繰り返す「復習」をすると、長期記憶になるのです。ただ、短期記憶でも印象的な出来事を経験するなどした場合、ごく短い時間に繰り返し信号が送られてくることになります。朝食でコーヒーをこぼしてしまったようなときは、そのメニュー全部をずっと後まで覚えていたりしますが、これは「エピソード記憶」と呼ばれています。このように、印象的な出来事があると、短期記憶で一時的に増えた受容体の数がそのまま維持されて長期記憶となることもあるのです（図5-4）。勉強するさいにも、このエピソード記憶を活用すると、ものを覚える効率がよくなると考えられます。

3　身体で覚える「手続き記憶」

自転車の乗り方を覚えているとか、お手玉のやり方を覚えているといった運動に関わる記憶は「手続き記憶」と呼ばれて、長期に記憶しています。これは、繰り返し練習することによって習得した記憶で、数年のブランクがあっても脳がこのやり方を覚えているからです。この運動に関する「手続き記憶」について説明をします。

「身体を動かせ」という指令は、大脳から直接手足の筋肉に送られる経路と、小脳を中継して送られる経路があります。そして運動してみた結果、うまくできたか失敗したかの信号を小脳に戻すフィ

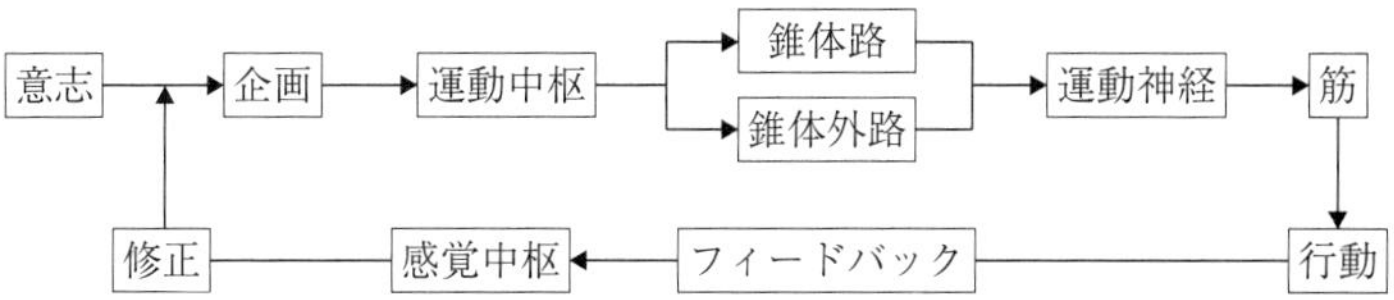

図5–5　運動の神経回路（猪飼道夫『身体運動の生理学』杏林書院, 1973）. 脳で企画された信号が, 錐体路などを通って筋につながり運動が起こります. その運動を評価してフィードバックし, 運動を修正します. このシステムをうまく回すことで, スキルが向上していきます.

ードバック経路もあります（図5–5）。例えば、自転車の練習で転んだ場合、失敗を知らせる信号が小脳に戻されます。すると失敗した小脳の回路のシナプスは、信号伝達を悪くしてしまうのです。エピソード記憶では、シナプスの信号伝達をよくすることで、その記憶を残していましたが、手続き記憶の場合は逆に、失敗したときの信号伝達を悪くして、成功したときだけの回路を残すことで身体の動かし方（手続き）を記憶しています。

「残したい記憶の信号伝達をよくする」ことと「失敗したときの信号伝達を悪くする」ことは似ているようで異なるものです。よいものと失敗とどちらが信号伝達の主になっているかがまったく逆なのです。実は最近、ピアノや自転車など身体を使って覚える「運動記憶」は、練習の合間の休息中に、小脳の表面でつくられるタンパク質の働きで、小脳の別の部屋に移って定着することが、理化学研究所のプロジェクトで突きとめられています。序章で述べた、レミニッセンス効果が実証されたともいえます。

ところで、コンピュータのプログラムでは、サブプログラムを組み合わせてメインプログラムが動くように、身体動作も複数のサブプログラムを組み合わせて、複雑な動作が実現できるようになっています。また、メインプログラムが組み合わされて、さらに大きなプログラムになるようにプログラムが階層化されて、より複雑で高度な動作を実現することができます。つまり、スポーツの身体運動とは、無意識化された多様な動作のパターンをプログラムとして蓄え、その階層をコントロールすることによって自動的に高度な動きを実現するということでもあるのです。よく運動の世界でいわれている「身体で覚える」とは、このように動作のパターンをプログラムのように小脳に蓄え、意識の範囲外に追いやり、必要なときにそのプログラムを引き出して応用させることをいいます。これをスポーツ科学では、「脳・神経パターンの生成」あるいは「動作の自動化」と呼んでいます。

そして、コンピュータのプログラムにもバグがあるように、無意識化された動作のプログラムも修正が必要な場合があります。そのときは、無意識化された動作を顕在化させるように呼び戻す必要があるために、これには少し時間がかかります。悪い動きのクセをつけてしまうと、なかなか修正できないのはこのような理由があるからなのです。

4 巧みさを得るための反射

人間の身体の中には、意思で開始される随意運動をうまくこなすための仕掛けがたくさん潜んでいます。その仕掛けの一つが「反射」で、動作をより巧みに、よりダイナミックにするために、とても

コラム　ゴルフ——イップス克服法?

　ゴルファーならほとんどが知っている「イップス」という症状があります。五〇センチのパットが打てなくてショートしてしまう、逆にカップに届くように打とうとすると何メートルもオーバーしてしまう、こういう状況を専門用語でイップスといいます。実は私もイップスに苦しんでいて、多くの友人が「一打に何十万円もかけているわけではないのに何言ってるの?」とアドバイスしてくれたのですが、私は心理的なものではなく動きが原因だと思い続けてきました。だから、パットのグリップを両手で全力、あるいは限りなく緩く握ってみたり、マスターズでも勝利したベルンハルト・ランガー選手にあやかって右手と左手の位置を逆にしてパターを握ってみたり、グリップが腹につくほど長い中尺パターを使ってみたりと様々な工夫をしてきました。しかし、そのどれもが私にとってイップスの解決になりませんでした。

　神経系も含めて、動きを力学的に解析している専門家として、誠になさけない話でした。「でした」と過去形でいえるのは、最近そのイップスによる痺れを克服したからです。その秘訣をここで紹介します。パッティングについて熟考すると、右の手首が様々ないたずらをすることに気がつきました。つまり、右手が悪さをするのだから、パットで右手の動きを殺せばいいことになります。右手を動かないようにするには、解剖学的に右手首をできるだけ背屈して固定するのです。右手首の動きを殺して、パッティングでは頸の後ろを軸とした、時計の振り子のような動きを腕全体ですれば、イップスは克服できる、そして実際にグリーンでできたのです。この方法は、実はアプローチでのトップやダフリ解消に対しても有効でした。イップスでお悩みの御同輩、ぜひお試しあれ!

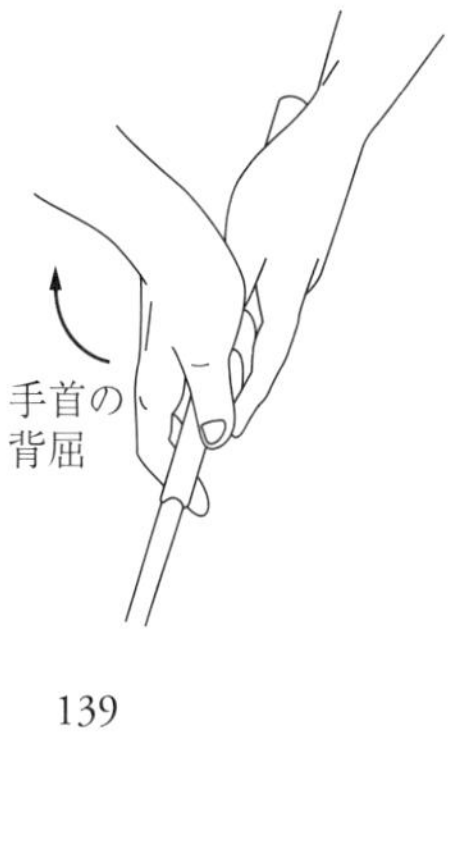

大きな役割を果たします。反射とは、脳とは関係なく、刺激に対して決まったパターンの反応が生じる現象をいいます。具体的には、皮膚や筋の中にある感覚受容器から得たインパルスが、求心性ニューロンによって脊髄に伝えられて、中枢神経内で意思とは無関係にリターンして遠心性ニューロンに伝達され、効果器である筋が活動する現象です。その経路を反射弓、切り換えの場所を反射中枢といいます。つまり反射は、随意運動の中の意識されないシステムで、入力刺激が受容器から効果器の筋へつねに一定の経路をたどります。特にスポーツの巧みさに強く関係するのは、伸張反射と頸反射なので、本節では、この二つの反射を説明します。

伸張反射は、脊髄内に反射中枢をもつ脊髄反射の一つで、骨格筋が勢いよく伸張されると、それが刺激となってその筋が収縮するというものです。反射のスタートとなる受容器は筋肉にある筋紡錘で、これが勢いよく伸びるとインパルスが発生して脊髄まで達し、脳に届くことなくリターンして脊髄前柱の運動ニューロンに直接伝わり筋収縮が起こります。身近な例をあげると、椅子に座って膝から下をダランと下げた状態で、膝頭の下を木槌で軽くたたくと、直後に膝がピコンと伸展します（図5-6）。これが伸張反射です。ダイナミックな運動ほど反動動作を伴いますが、反動動作は「筋がいったん伸張された後に短縮する」ことをいうので、この動作様式は伸張反射と深い関わりをもちます。縄跳びのような連続跳躍では、ふくらはぎの腓腹筋は着地前から筋を活動させて、着地後に緊張しながら引き伸ばされ、その結果、伸張反射が働いて、次のキック局面で脳からの指令に反射がプラスされて筋の力が強くなるのです。伸張反射は筋が勢いよく伸ばされると起こる反射なので、逆に筋をリ

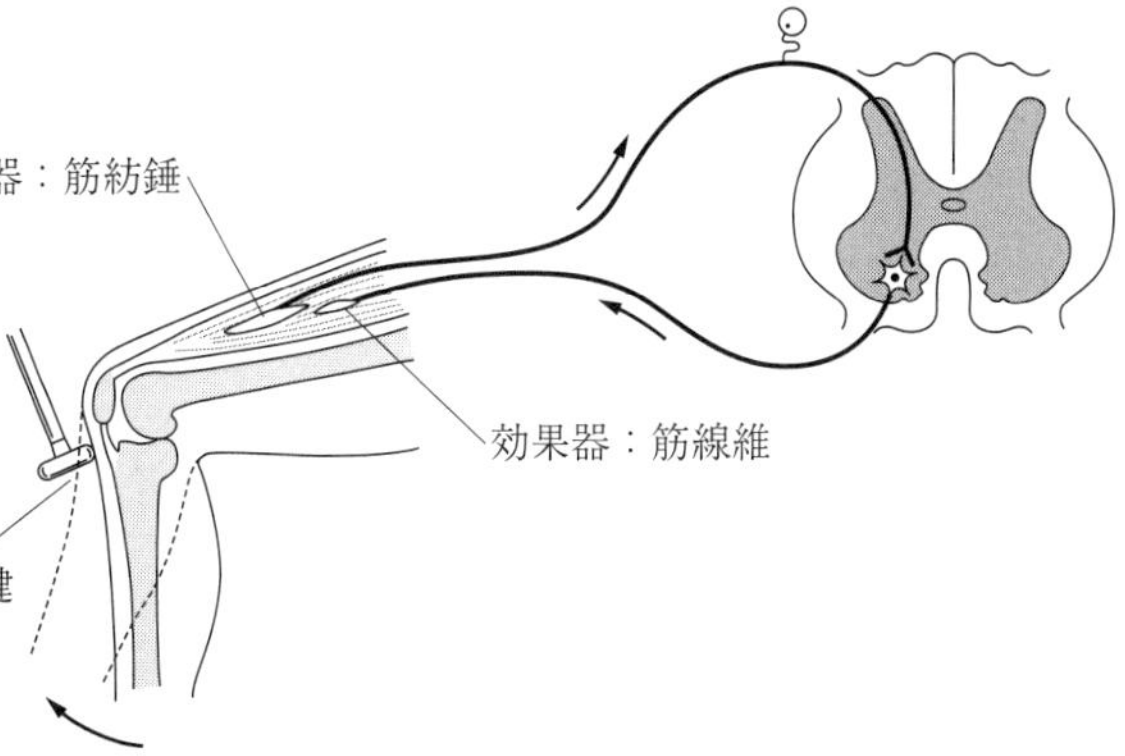

図5-6　典型的な伸張反射の膝外腱反射（MacNaught, A. B. *et al., Illustrated Physiology*, E & S Livingstone, 1970）．このような伸張反射が，ほとんどの骨格筋に備わっていて，スキル向上に貢献しています．

ラックスさせて静かに伸ばしてあげたいときは、この反射を活動させせないようにしたほうがよく、それが静的ストレッチングなのです。

また、緊張性頸反射は、頭を前後左右に傾けることによって四肢の筋の緊張具合が変化する反射で、姿勢制御に大きな役割を果たしています。頭の位置の変化によって、頸筋の筋紡錘が刺激され、その興奮が反射路を介して四肢の筋に伝えられます。これは姿勢反射の一つといえますが、姿勢反射には、この他に緊張性迷路反射、立ち直り反射、踏み直り反射などがあります。

頸反射を用いる具体的な運動の例として、走り高跳びの背面跳びの空中フォームがあります。空中で選手は、まず体幹を背屈させてバーを越し、その後バーに脚を触れさせないで抜くために腹屈します。これら体幹の動作に先だって頸の背屈と腹屈が行われますが、これは頸反射が身体全体の反りと屈曲動作をリードする典型例です。すなわち、頸を背側にそらすことによって体幹は背方にアーチをつくり湾曲します。逆に、脚の「抜き」の局面では、頸を腹側に曲げることによって体幹は腹方に湾曲します。このように、背面跳びの空中動作が頸反射に基づいたものであることから、動作獲得が容易であり、そこに初心者でも背面跳びが比較的短期間に上達する理由があるとも考えられています（第2章コラム「不器用から生まれた奇跡：フォスベリー選手の背面跳び」参照）。さらに、背面跳び以上に複雑な身体回転を含む空中動作をこなす体操競技や飛込競技などでは、この頸反射のプラスとマイナスの使い方が動作習得のポイントになっています。

5　勉強と運動の密接な関係

一般の人たちの多くは、「勉強は頭で、運動は筋肉でする」と認識しているのではないでしょうか。これまでに説明してきたように、巧みなスキルを習得するのは、脳の中の神経にインパルスを流すことで、それは漢字や九九の学習となんら変わりません。この運動と勉強は別ではない、という疫学的な研究結果も最近多く発表されています。

文部科学省の学校基本調査によると、運動テストと学力テストとを都道府県ごとに比較したところ、相関関係がみられました（図5-7）。運動能力も学力も高い県は、富山県と福井県でした。

アメリカでも同様の結果が報告されています。カリフォルニア州では、公立小・中学校の子ども約

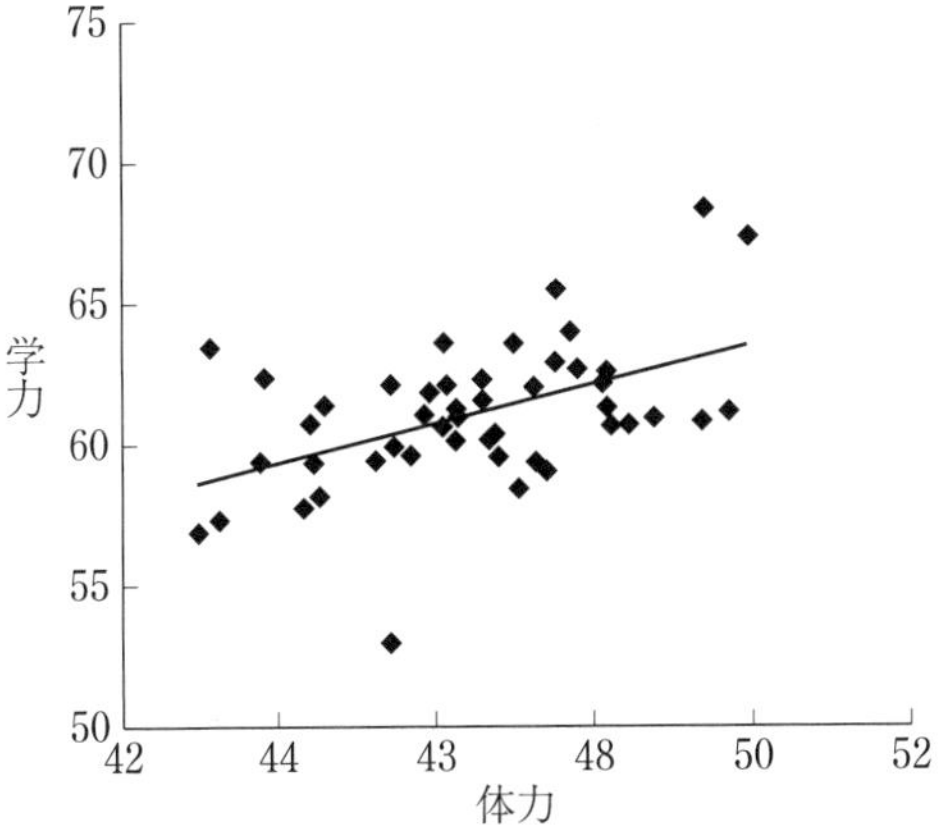

図5-7　文部科学省が平成19年度に行った学力と体力の相関関係．図中のプロットは，都道府県を示しています．学力が高い県は体力も高い傾向にあります．

一〇〇万人を対象に、大規模な体力調査を定期的に行っていて、その結果と学力テストの結果を比較したところ、強い比例関係がありました(図5-8)。また、イリノイ州の小学校でも、運動と学力に同様の比例関係があって、特に持久力(シャトルラン)の能力が高いと学力も高く、逆に肥満度が高いと学力が低くなるという結果が報告されています。

　一方、近年、運動がある種の知的能力を高めるという研究が、多数発表されています。例えば、動物実験ではありますが、運動がうまくなるのが早いネズミの脳は、なかなかうまくならないネズミよりも、海馬の細胞が分裂増殖して、長期記憶が増強されているというのです。また、英国ロンドンのタクシー運転手の海馬の大きさは、一般人よりも大きいと報告されています。海馬は物事を新しく覚えるのに必要不可欠な部

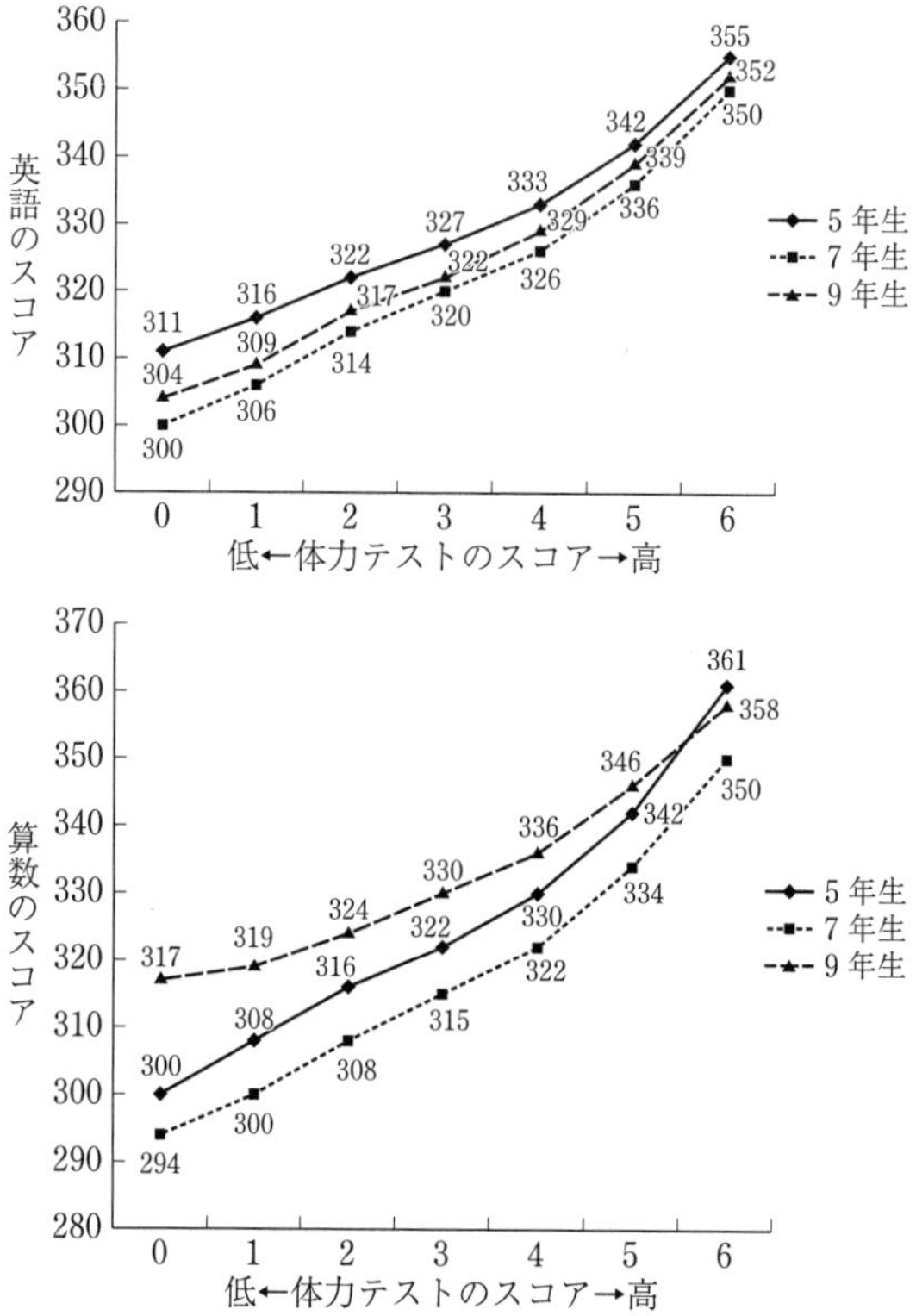

図5-8 米カリフォルニア州の体力テストと学力テストの相関関係（深代千之『運脳神経のつくり方』ラウンドフラット，2008）．5年生，7年生それぞれ約37万人，9年生約30万人の生徒を調査．それぞれの学年で，体力測定の結果と学力テストのスコアが相関関係を示しています（数学の9年生は幾何学を選択した6万人が調査対象）．体力の高い生徒ほど，英語や算数のスコアがよいことがわかります．

位なので、運動が記憶力や学習能力を高める可能性があるというわけです。ちなみに、認知症はこの海馬がダメージを受けた状態です。海馬の能力が低下すると、昔のことは覚えているけれども、今日の朝のことはすぐに忘れてしまう、ということになってしまうのです。さらに、人間の運動中の脳活動を計測してみると、ジョギング中には運動の設計図がつくられる前頭前野が特に活性化することがわかっています。単なるジョギングよりも、いろいろ走り方を変えながら動作を行うと、さらに活性化されると推定できます。

いずれにしても、運動能力と学力は別ではないということです。普段の生活で、部活などの運動をしっかり行えばヘトヘトになりますが、夕食後に少しの時間でも集中して勉強する、あるいは昼の授業を真剣に聞くといったことを続ければ、運動も勉強もできるようになるのです。事実、運動部で活躍する東大生もたくさんいるということを理解してください。

何かを知りたいという知的欲求も、身体を動かしたいという体的欲求も、本来、人間に自然に備わっているものなのです。それを社会的な偏見によって、勉強ができる人は運動を封印、スポーツができる人は勉強を封印、とさせてしまっているように思われます。私は「本来人間がもつ知的・身体的欲求の両方を解放してあげたい」と考えています。

コラム　ギリシャの鉄（哲）人

古代ギリシャでは、現代科学の礎となる自然科学や数学、論理学などの学問の体系化が行われただけでなく、スポーツの競技会である古代オリンピア祭も開催されたように、学問とスポーツをともに極めることが、若者にとっての目標とされていました。

哲学者プラトンは、大著『国家』の中で、「教育に必要な科目は体育と音楽」と述べて、身体と感性の教育を重んじました。同じく哲学者アリストテレスは、文武両道の大切さを当時の支配者であったアレクサンドロス大王に進言したといわれています。本人も「形而上学」などに代表される哲学、自然科学、政治学などの著作を残しただけでなく、スポーツを愛好していました。アリストテレスやプラトン、そしてソクラテスは哲学者として有名ですが、彼らが筋骨隆々だったことはあまり知られていません。当時、自分の意見を他人に説くには、ひ弱な身体では説得力がなく、器自体もたくましくなければならなかったのでしょう。こうした偉大な先人の考え、つまり文武両道の精神を、身体の感性が鈍くなり、体力が劣ってきている二一世紀こそ生かしたいものです。

かつて、東京大学の大河内一男総長は、昭和三九年の卒業式で「太ったブタより、痩せたソクラテスになれ」と述べ、「身体よりも知に長けよ」という言葉で卒業生を激励しましたが、実はソクラテスは筋骨隆々でしたし、二一世紀こそ「痩せた…ではなく、たくましいソクラテス」が期待されているのです。

第6章　骨格筋——効率よく身体を鍛える

肘を曲げる主働筋は，力こぶの上腕二頭筋です．このように，動きには，主に働く筋とそれにブレーキをかける拮抗筋が必ずあります．筋の特性を知って，筋をうまく活用しましょう．

運動も脳の制御であるとはいえ、実際には、効果器である骨格筋の収縮によって身体運動が起こります。特に、ダイナミックな動きでは、出力である筋の能力が大きくパフォーマンスに影響します。だからこそ、運動といえば筋というイメージが一般に大きいのでしょう。

歴史的にみて、ギリシャおよびローマ時代に代表される、国家の攻撃と防御とが支配的な社会的活動であった時代においては、勇気を伴った身体的活動力は必須のものでした。それゆえ、誰もが、競って身体を鍛えたのでした。筋を鍛えれば太く強くなり、運動をやめれば萎縮するという現象はギリシャ時代からわかっていました。筋骨隆々としたギリシャ彫刻をみれば、それは明らかです。

しかし、筋肥大のメカニズムや、骨格筋の収縮の特徴など、筋の可塑性や機能が様々な角度から明らかになったのは、二〇世紀の医学・生理学の成果でした。本章では、ダイナミックな身体運動に直接関係する「骨格筋の収縮特性」を解説していきます。ここで解説する骨格筋の特徴は、最大筋力と性差、筋の質、収縮特性、形と機能、エネルギー消費量、骨格を動かすテコ作用、腱のバネ機構などについてです。

むやみに筋力トレーニングをするのではなく、目指すスポーツ種目の中の、自分で上達したい動作の主働筋を見極め、その骨格筋の特徴を考慮しながら、質の高いトレーニングプログラムを組めば、効率よく身体を鍛えられます。

1　火事場のバカ力の秘密——最大筋力と性差

心臓や内臓の筋肉のように意思とは関係なく働く「不随意筋」に対して、意思によって動く骨格筋を「随意筋」といいます。身体運動に直接関係する骨格筋は、約三〇〇種四〇〇組もあって、重量にすると体重の三五～四〇パーセントを占めます。一般に、男性のほうが女性よりも最大筋力が大きい、いわゆる「力もち」です。それはなぜでしょう。本節では、この最大筋力を決める要因についてみていくことにします。

随意筋である骨格筋は（顔面の筋などを除けば）必ず関節をまたいで骨に付着していて、骨格筋が収縮するとそれに対応した関節が動くようにできています。つまり、関節の動きと筋は基本的に一対一の対応をしていて、それぞれの関節運動を引き起こす筋を「主働筋」といいます。筋は自分では収縮することしかできない、逆にいうと自ら伸びることができないので、関節を屈伸させるために、主働筋に対して必ずブレーキをかける「拮抗筋」が逆側についています。例えば、肘を曲げる主働筋は力こぶの上腕二頭筋で、拮抗筋はその裏側にある上腕三頭筋です。一方、肘を伸ばす場合には、その対応関係が逆になって、主働筋が上腕三頭筋、拮抗筋が上腕二頭筋となります。

この主働筋を精一杯働かせて力を発揮したときの筋力を「随意最大筋力」といいます。この最大筋力を決める要素は、主に三つあります。一つは筋の太さで、専門用語では「生理学的筋横断面積」と

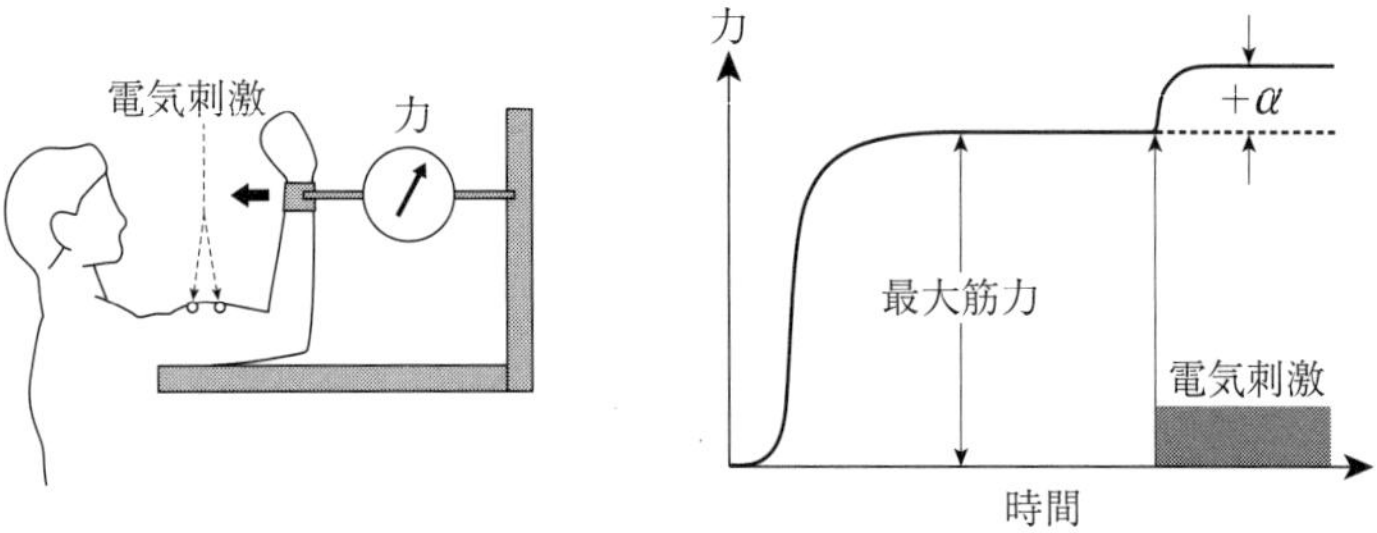

図 6-1 肘屈曲における心理的限界と生理的限界の例．肘を全力で曲げているときに，主働筋の上腕二頭筋に電気刺激を与えると，筋力がさらに高まります．このプラスアルファは，男性よりも女性のほうが大きいことがわかっています．

いいます。二つ目は筋肉のいわゆる「質」の相違で、同じ太さでも「速筋と遅筋の割合」が違えば筋力の大きさが変わってきます。三つ目は、脳から筋に行く指令の強度で、「興奮水準」といいます。

筋力を決める太さと質については、次節で詳しく説明します。三つ目の興奮水準ですが、例えば肘屈曲で、筋を随意的に全力で収縮させているときに、筋の中央に電極を貼って電気を流すと、最大努力の意思で収縮しているにもかかわらず、その力を「超える筋力」がプラスアルファとして発揮されます（図6−1）。自分の意思で随意的に発揮している最大筋力は「心理的限界」があって、筋が本来出しうる（つまり電気刺激を加えた）最大筋力の「生理的限界」までに至らないというわけです。言い換えると、意思によって全力で力を発揮する場合の心理的限界では、まだ活動していない筋線維があるのです。両者の限界の差、つまり図6−1のプラスアルファは心理的限界の二〜三割もあるといわれています。このプラスアルファの増加分には性差があって、男性よりも女性の

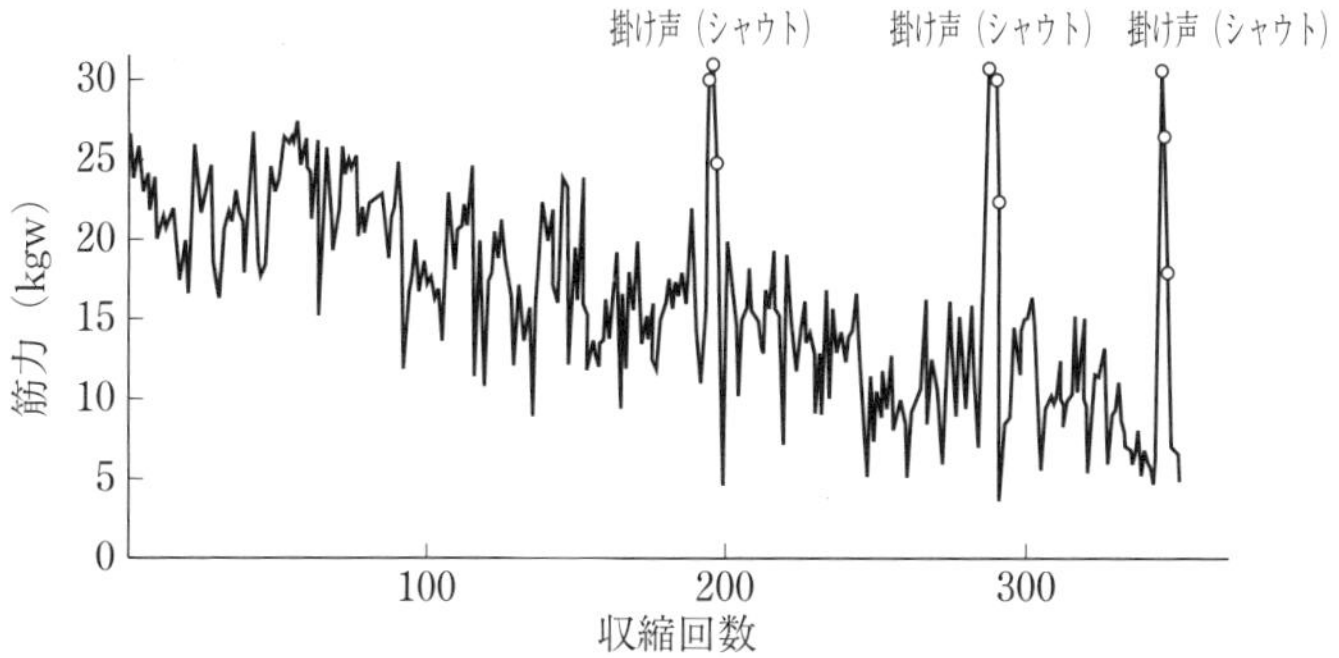

図6-2　シャウト効果（猪飼道夫・石井喜八『体育学研究』**6**：154-165, 1961）．筋力発揮を連続して疲労したときに掛け声をかけると筋力が復活します．

ほうが大きいことがわかっています。つまり、女性は通常の筋力発揮のときには抑制が働いていて、無意識なのですが力を出し惜しみしているということです。自分の身に危険が迫ったような、普段と違った危ない環境に置かれたときには、この抑制がとれて生理的限界まで力が高まります。火事場のバカ力のエピソードに女性が多いのは、このような理由からなのです。

一回で大きな力を発揮するときに、大声を出して気合いを入れると「シャウト効果」で抑制を取り払うことができるといわれています。重量挙げや陸上競技の投てきの選手が、力を入れるときに大声を出すのは、この効果を狙っているのです。また持久的に、筋力を何回も発揮し続けていると、力レベルは徐々に下がってきますが、疲れたときに気合いの掛け声をかけると、その筋力発揮だけ筋力レベルが高まるという実験結果も得られています（図6-2）。つまり心理的限界のトリガーが外れることが明らかにされています。

2 瞬発型か、持久型か？——筋線維タイプと遺伝

骨格筋は、私たちの髪の毛くらいの太さの筋線維が集まってできています。この筋線維は、白い「速筋線維」と赤い「遅筋線維」に大きく分類されます（図6-3）。速筋は収縮速度が速く張力も大きいのですが、すぐに疲れてしまう筋で、いわば瞬発型です。単位断面積あたりの張力も、速筋は遅筋に比べて三割程度大きいことが報告されています。一方の遅筋は、収縮が遅く力も小さいのですが、なかなか疲れない辛抱強い筋で、いわば持久型です。遅筋は赤色の色素タンパク質を多くもっているので赤く、速筋はこれらの色素をもっていないので白くみえることから、速筋を白筋、遅筋を赤筋と呼んでいた時代もあります。この二種類の筋を、授業などで説明するときには魚の例をよく用います。白身のタイやヒラメは通常岩陰に隠れていて獲物を捕るときだけ素早く移動する近海魚で、一方の赤身のマグロやカツオは大洋をずっと泳ぎ続ける回遊魚です。これは瞬発型の速筋（白身）と持久型の遅筋（赤身）の筋の収縮特性をよく表しています。昔話のウサギとカメも、それぞれ速筋と遅筋です。

さて、私たちの骨格筋はこの両方のタイプが混在していますが、その割合が一人一人で異なっています。友達と様々な運動をして遊んでいると、自分は瞬発型か持久型かをそれとなく判断できるはずです。この筋線維タイプは、遺伝によって決まるのでしょうか、それとも環境によって決まるのでしょうか。私が以前に留学していたフィンランドのパーボ・コミ博士は、一卵性双生児と二卵性双生児

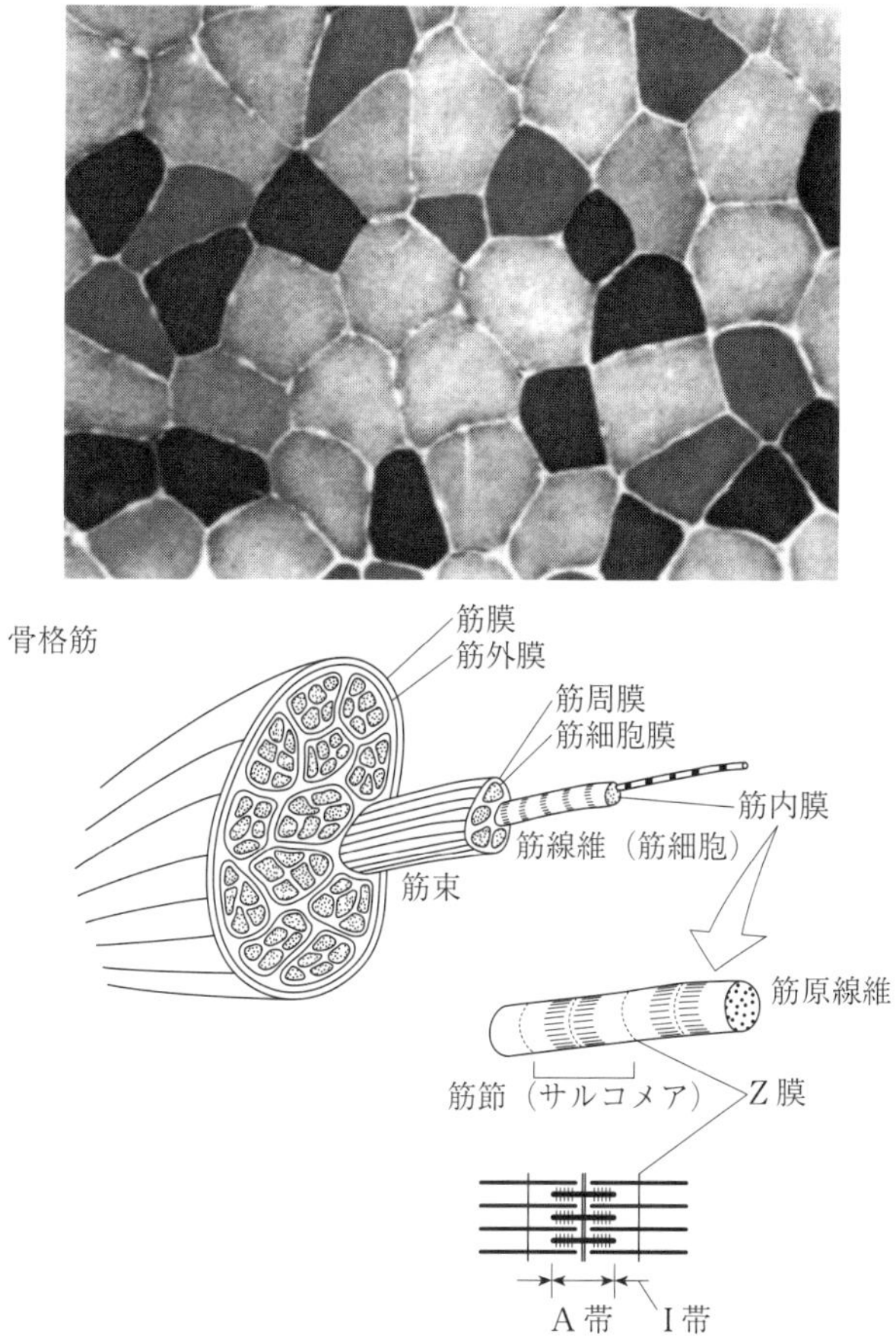

図6-3　筋線維の速筋と遅筋タイプ（安部孝・琉子友男『これからの健康とスポーツの科学　第3版』講談社，2010）．バイオプシーという方法で，ヒトの筋の小片を取り出して染色すると，筋線維のタイプをみることができます．黒くみえるのが遅筋線維，白くみえるのが速筋線維です．この筋線維タイプは人によって異なります．

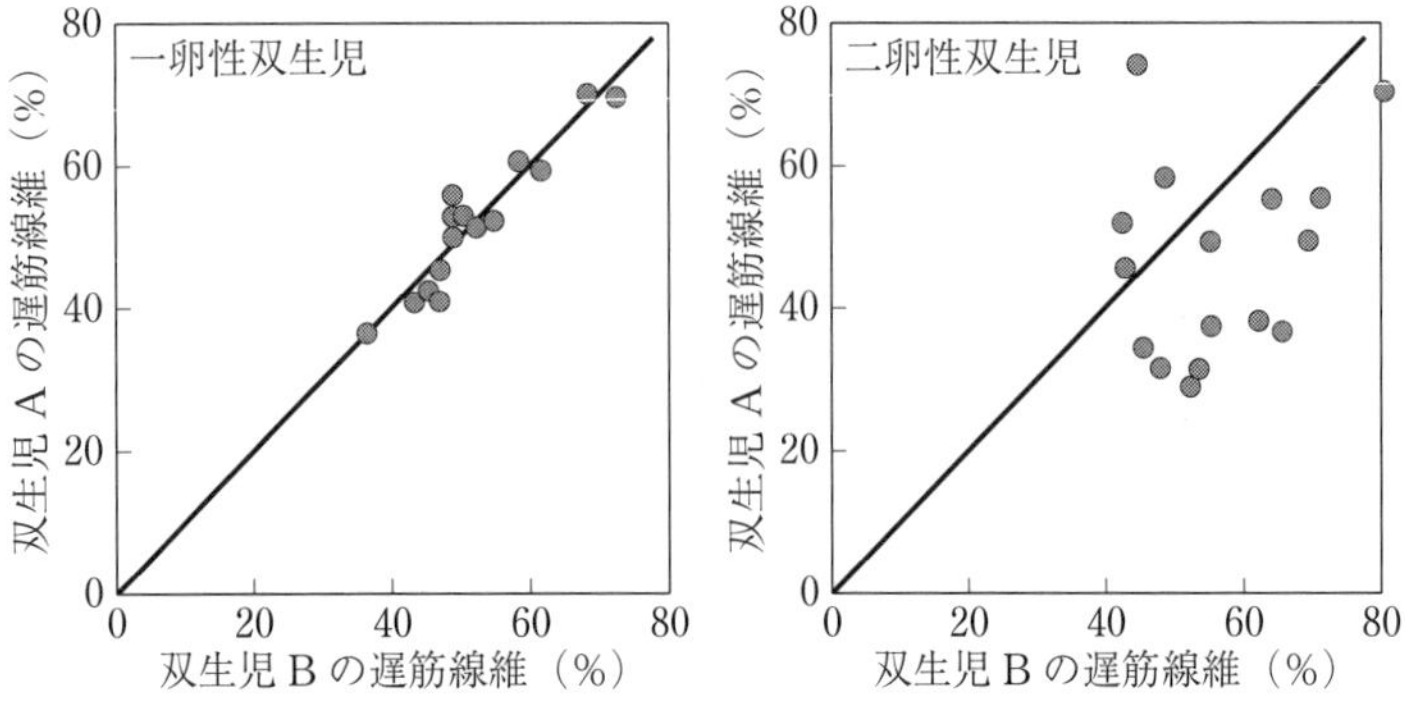

図6-4　双生児の筋線維タイプ（Komi, P., *Acta Physiol., Scand.*, **100**: 385-392, 1977）．左図の一卵性双生児の筋線維タイプは，兄弟・姉妹でそっくりですが，右図の二卵性双生児はバラバラです．外観が似ている一卵性双生児は，中身も似ているという研究結果です．

の筋線維タイプを比較しました。その結果、一卵性双生児は兄弟・姉妹ともにそっくりの筋線維タイプだったのですが、二卵性の値はバラバラでした（図6-4）。つまり、顔も体形も似ている一卵性双生児は筋線維タイプも似ていて、遺伝が効いているという研究結果だったのです。ただし、筋は可塑性があって、筋に強い負荷をかけてトレーニングすれば肥大し、休めば萎縮します。つまり、環境によって太くも細くもなるというわけです。強い負荷で筋肉トレーニングをしている筋骨隆々のスポーツ選手は、速筋が肥大して筋全体が太くなっています。なので、より瞬発力が高まるのです。また、このトレーニングによる肥大は、男性ホルモンが強く関与しているので、一般に女性よりも男性が筋骨隆々になるというわけです。

一方、毎日長い距離を走りこむマラソンランナーはどうでしょうか。トレーニングの内容に適した遅筋が肥大するかというとそうではなく、逆に速筋が萎縮するのです。この結果をアメリカスポーツ医学会で発表したディビット・カスティル博士は、ヒトの筋の小片をトレーニング前後で取り出して筋線維タイプをみるという筋生検「バイオプシー」という手法で、トレーニング効果を明らかにしました。そして、その発表で彼は、とてもわかりやすい例で解説しました。それは、瞬発力の指標である垂直跳びを測定しておいて、その後持久トレーニングを数カ月続けると、速筋が細くなって垂直跳びも跳べなくなります。そして持久トレーニングをやめると元の垂直跳び能力に徐々に戻るという譬えでした。すなわち、長距離走の選手やマラソン選手は、我々一般人よりも速筋を細くすることで、相対的に遅筋の面積を多くして、持久能力が高い身体にしているといえるのです。

これらの研究結果をまとめると、トレーニングによって肥大したり萎縮したりするのはいつも速筋なので、速筋は環境に、そして遅筋は遺伝に強く影響されているといえます。この筋線維タイプを身近な例でみると、自分が瞬発型か持久型かというタイプを見極めた後に、その自分のタイプと両親のタイプが似ている場合は親子で似た環境を過ごしてきていて、一方、自分と親が違うタイプだと推定できる場合は生育環境が違ったので異なったといえるわけです。スポーツのエリート選手は、遺伝に加えて、より特長を生かすトレーニングをすることによって、とても特異的な筋線維組成になってきます。例えば、モモの外側の筋（外側広筋）についてみると、陸上競技の短距離や走り幅跳びで活躍したルイス選手は速筋が八割を超え、マラソンで活躍したアルベルト・サラザール選手は逆に遅筋が九割という結果が報告されています。

3 長さと速さが効く——筋の収縮特性

身体運動を起こす骨格筋は、様々な収縮特性をもっています。ここでは、筋が収縮するときの長さと速さの影響について考えてみることにします。

筋の内部に分け入っていくと、速筋と遅筋に分けられる「筋線維」、そしてさらに細い「筋原線維」となって、最後はアクチンとミオシン（筋肉の収縮に関与するタンパク質）という二つの「フィラメント」が引っ張り合って力を出します（図6-3）。この二つのフィラメントの重なり具合によって発揮できる力の大きさが異なります。ちょうどよい重なりのときに最大の力が発揮され、それより長すぎても短すぎても力は低下します。これを筋の「力-長さ関係」といい、ちょうどよい長さを、至適長あるいは自然長といいます。力こぶの上腕二頭筋は、肘をほぼ水平に伸展した状態が至適長となります。

これと似た関係で、肘を曲げるときには、回転力を発揮するのにちょうどよい関節角度があります。肘の屈曲では、肘角度が直角近辺で大きな力を出しやすくなります。これは「関節角度-トルク関係」といって、筋自体の力-長さ関係よりも、関節を回転させるときのテコの長さ、つまりモーメントアームが強く関係しています。このモーメントアームについては、テコ作用の節で詳しく説明しますが、肘は直角近辺でモーメントアームがもっとも長くなるので、力が出しやすくなるのです。逆に、モーメントアームの効率が悪い肘伸展の状態では、筋自体の力-長さ関係で大きな力を発揮しやすいように身体の構造が進化してきたといえるのです。

一方、肘を曲げて何かをもち上げるときに、軽いものだと速くもち上げられますが、重いものだとゆっくりとしかもち上げられません。つまり、筋は速く短縮すると大きな力を発揮できないということです。これはミオシンフィラメントで、アデノシン三リン酸（ＡＴＰ）を受け取って、分解して放すまでに、一定の時間（二〇～三〇ミリ秒）がかかるので、速く短縮すると利用できるミオシンの数が少なくなるからです。さらに、重すぎるともち上げるどころか、肘が伸びてしまいます。すなわち、骨格筋の収縮の仕方には、三種類あります。肘を屈曲させる運動を例（図６-５）に説明しましょう。肘屈曲の主働筋は、力こぶの上腕二頭筋です。①滑車を介して重りをもち上げる場合（同図の右）は「短縮性収縮：コンセントリック収縮」、②手首と壁の距離が一定で全力で収縮する場合（同図の中）は「等尺性収縮：アイソメトリック収縮」、そして③本人は肘を屈曲させようとしているのに、他人のより大きな力で引っ張られると肘が伸展してしまう場合（同図の左）は「伸張性収縮：エクセントリック収縮」といいます。

それぞれの特性として、①短縮性収縮では、上腕二頭筋の最大筋力よりも重りが軽いので、重りをもち上げることができます。②等尺性収縮は、主働筋の筋と腱を含めた全体の長さが一定で力を発揮していて、これが随意最大筋力です。③筋力よりも重りが大きい、つまり引き伸ばされてしまう伸張性収縮の場合は、主働筋の張力が三種類の収縮様式の中でもっとも大きく、つまり筋張力の大きさは

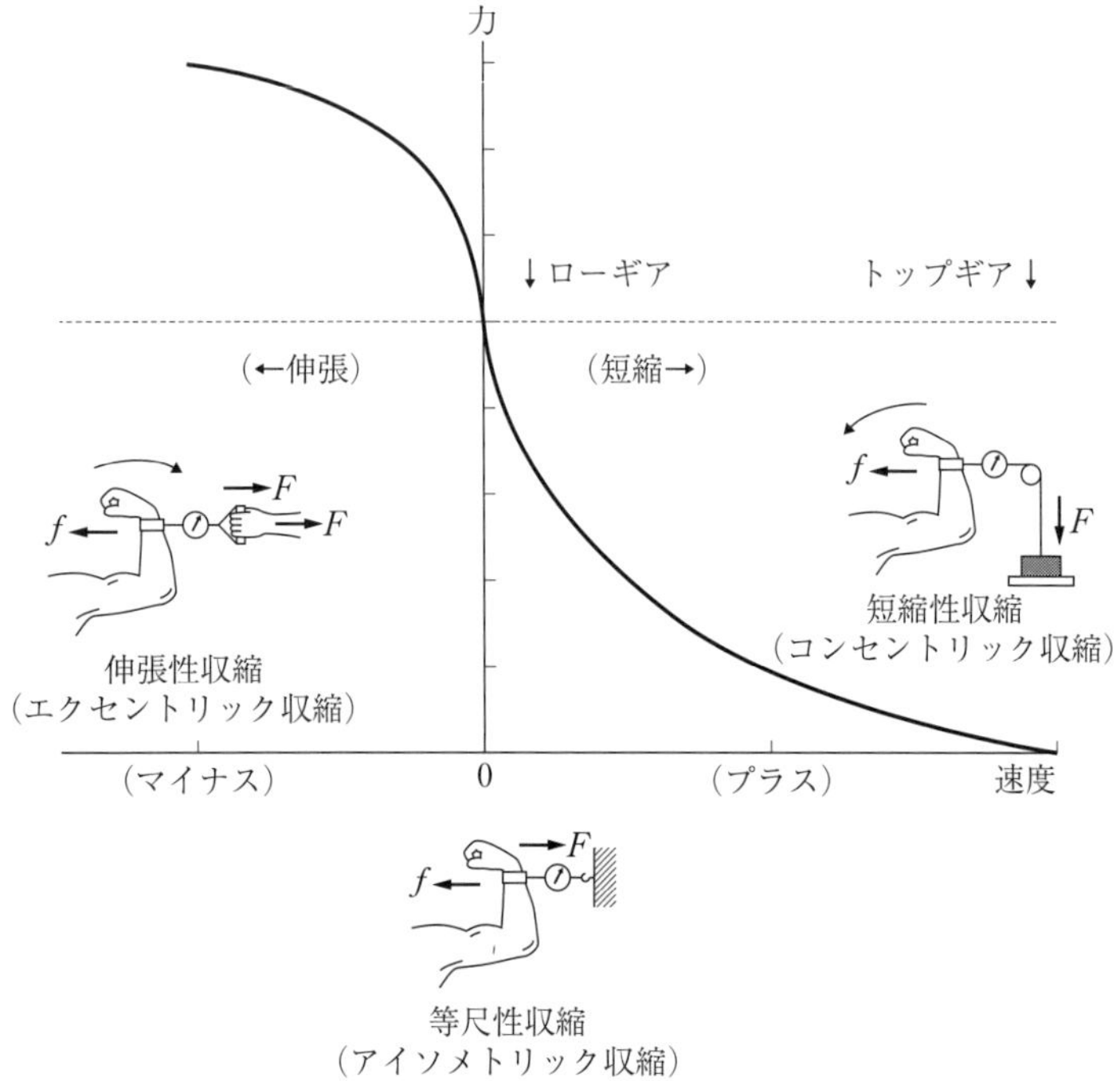

図 6-5 筋の力-速度関係(金子公宥『スポーツ・バイオメカニクス入門 第3版』杏林書院, 2006). 筋の力よりも重りが軽いときは重りをもち上げられます(図の右)が, 筋力よりも強い力で引っ張られると筋が引き伸ばされてしまいます(図の左). このように, 筋の出力には, 速度が強く関係しています. 図の右側の短縮局面では, ゼロに近いほうが自動車のローギア, 右にいくに従って, セカンド, サード, トップギアになると考えれば, わかりやすいかもしれません.

①＜②＜③という順序になります。すなわち、筋収縮には「力−長さ関係」とともに、重さ（つまり力）と速さが関係するのです。これは、筋の「力−速度関係」といって、短縮性収縮の局面①は、双曲線で近似することができます。二〇世紀初頭にこれを研究したイギリスの生理学者アーチボルト・ヒル博士はノーベル生理学賞を受賞しています。

この力−速度関係からわかることは、筋の短縮速度が低下すると、筋が発揮できる力が増加する、言い換えると、筋は遅く縮んだほうが大きな力を発揮しやすくなるということです。近年、超音波法を用いて、筋と腱を分けて長さ変化を詳細にみた我々の研究から、ダイナミックな運動では、筋腱複合体全体の伸び縮みは、主に腱がバネの働きによって大きく伸縮して、その分、筋が遅い速度で短縮できるので大きな力が発揮できる、という仕組みが明らかになっています。筋腱複合体が受けもつ特質に関係させると、力は筋が、速度は腱が担っているということもできます。

4　形は機能を決め、機能は形を進化させる——骨格筋の形状と働き

大学の講義で「骨格筋の絵をノートに描いてみなさい」というと、ほとんどの学生が真ん中が太くて両端に腱がある「紡錘筋」を描きます。しかし、私たちの身体には、紡錘筋以外の形をした筋がたくさんあります。ここでは、筋の形状と働きについて解説します。

筋骨隆々で皮下脂肪の少ない人のお腹は、二列ある腹直筋がそれぞれ縦に三つに分かれているのが

みえます（私も昔は……）。これは多腹筋といって骨についている両端に腱があるだけではなく筋腹の途中に腱があるために、あのようにボコボコと三つのかたまりになります。また、肩関節を覆っている三角筋は縦に腱が走っている多羽状筋、お尻の大臀筋は放射状筋と呼ばれる筋です。

このように様々な筋の形があるのですが、ダイナミックな運動に特徴的に関わっているのは、もっともなじみのある形の「紡錘筋」と、鳥の羽根の形をした「羽状筋」の二つです（図6-6）。紡錘筋は力こぶの上腕二頭筋が代表的で、一方、羽状筋はふくらはぎの筋など脚に多く配置されています。本節では、運動に関係する、この二種類の筋形状の特徴を比較してみることにします。紡錘筋は、筋の長軸方向に走っている筋線維がとても長いのですが、腱に付着する面積が少ないので筋線維の数が少ないという特徴があります。一方の羽状筋は、筋線維自体は短いけれども、長い腱にたくさん筋線維が付着できるので数が多いという特徴があります。

この形の違いは、働きの違いに表れます。つまり、筋線維の長い紡錘筋は短縮するときの「スピード」が高く、筋線維の数が多い羽状筋は大きな「力」を発揮できるのです。これら特徴的な機能のスピードと力を乗じると、ダイナミックな運動を支えるパワーになるので、紡錘筋はスピードによって、羽状筋は力によってパワーを高めているといえるわけです。羽状筋は、身体にたくさん配置されていますが、例えば、ふくらはぎの上方についている筋で大きな力を発揮して、その力をアキレス腱で下方の踵に伝えるという構造なのです。

この二種類の筋と腱の役割を、コンピュータシミュレーションを用いてみると、とても興味深い結

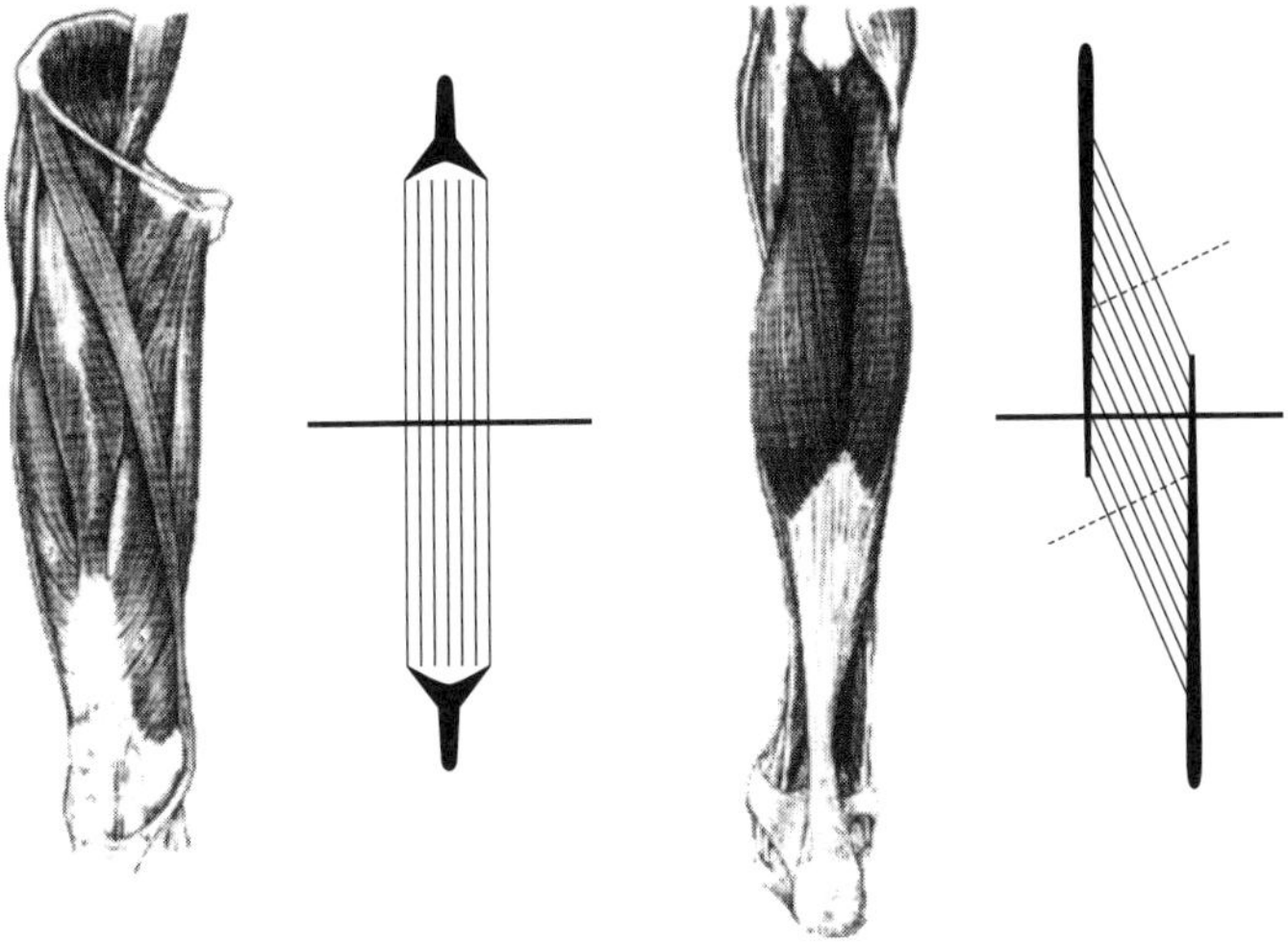

図6-6　紡錘筋と羽状筋（深代千之他編『スポーツバイオメカニクス』朝倉書店，2000）．筋の形によって，発揮できる筋力や短縮スピードが異なってきます．

果が得られます。長野明紀博士は、筋腱複合体モデルをコンピュータ内につくり、筋と腱の形状、つまり長さの違いと発揮筋力との関係をシミュレーションしました。その結果、ふくらはぎのように筋が短く腱が長い羽状筋の場合は、軽い負荷で大きな仕事をするのに適していて、一方お尻の大臀筋のように筋が長く腱がとても短い紡錘筋に似た放射状筋は、重い負荷で大きな仕事をするのに適しているということが明らかになりました。脚全体つまり重い負荷を動かすには筋線維が長い筋を脚のつけ根のお尻に、そして素早くキックする、つまり軽い足部を素早く動かすには腱が長い構造の筋を脚の末端のふくらはぎに配置してあるのです。筋の形の紡錘筋と羽状筋、そして筋と腱の長さ配列など、人間は素早くダイナミックに動くために、筋腱複合体を身体の各部位に巧みに配置しながら長い年月をかけて進化してきたといえるのです。

5　階段「昇降」の異なる効果

高尾山のような比較的容易に挑戦できるプチ登山に行き、何日か後に筋肉痛になった経験がある御同輩もいるかと思います。この筋肉痛は、何によって生じて、どのような影響があるのでしょうか。ここでは、筋収縮の仕方とトレーニング効果について概説することにします。

山や階段を昇るときは、一歩ずつ一段ずつ足を高い場所において、膝を伸展させて身体を高い所に移動させます。これは、3節で説明した、主働筋であるモモの前側（大腿四頭筋）の短縮性収縮（3節の①）にあたります。一方、山や階段を降りるときは、逆に一歩・一段ずつ低い場所に足を降ろして、身体の位置を低くさせていきます。この筋活動は、着地の衝撃を緩衝しながら膝を曲げるという、大腿四頭筋の伸張性収縮（3節の③）にあたります（図6-7）。

ここで、一歩で昇降する高さが一定の階段を例に、昇りとくだりの力学的特徴をみてみます。階段を昇るときに一歩で床を押す床反力と時間の積「力積」と、階段を降りるときに一歩で床反力を受け止める力積とは、理論上同じになります。ただし、階段を昇るときは、筋力がなかったり疲れてきたときには、床を押す時間を長くし、力のピーク値を小さくして力積をつくることができますが、階段を降りるときは、身体が重力によって落下するので、床反力を受け止める時間を長くすることができずに力のピーク値が大きくなります。つまり、階段くだりのほうが、主働筋の大腿四頭筋に一瞬で大きな張力が発生することになるわけです。くだりでは、この大きな張力発揮を繰り返すことで、主働筋に化学的な炎症が生じて、その炎症を修復するときに筋肉痛が起こるのです。そして、この「くだり→筋肉痛→修復」サイクルを繰り返すと、筋、特に速筋線維が太くなり、筋力が増すと考えられています。

また、肘屈曲において短縮性と伸張性収縮のトレーニングを比較した石井直方博士は、興味深い結果を発表しています。そのやり方は、左手で下にもったダンベルを肘を曲げてもち上げて、上でダン

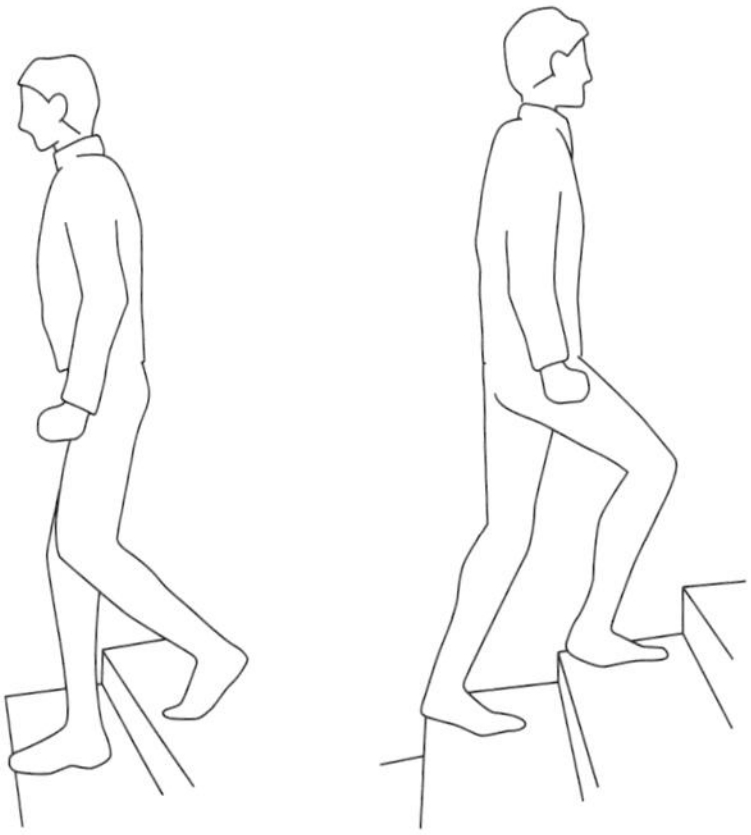

図6-7　階段の昇りは大腿前面の筋の短縮性収縮，くだりはやはり大腿四頭筋が主に使われますが，伸張性収縮となり，活動様式が異なります．

ベルを右手に移します。そして、右手はダンベルを降ろして、下でまた左手にダンベルを移す、といったサイクルのトレーニングを三カ月間行いました。このトレーニング方法は、同じプラスとマイナスの速度で肘屈伸をしているので、前述の階段昇降のような力のピーク値の差はないのですが、ダンベルを降ろす伸張性収縮の右手のほうがトレーニング後に筋力が増大したのです。つまり、筋、特に速筋線維を肥大させたい場合は、伸張性収縮のほうが効果があるというわけです。筋力トレーニングでは、例えばベンチプレスで数十キロを上げるよりも、下げるときのほうが効果があるのです。

これらの結果を踏まえて、山登りや階段昇降の「昇り」と「くだり」について分けて考えてみると、階段を昇る短縮性収縮の場合は息もあがってヘトヘトになるので心臓や肺の呼吸循環系に効果があって、階段を降りる伸張性収縮の場合は筋肥大に効果があることになります。例えば、四〇階建てのタワーマンションの非常階段を歩いて昇るとヘトヘトになりますが、次の日に筋肉痛はありません。比較として、別の日に非常階段を降りると、身体は力学的に正の仕事をしているわけではないので楽なはずなのですが、ロビーに到着する頃には膝がガクガクになります。いわゆる「膝が笑う」という状態です。こちらは、後で筋肉痛が生じます。これを日常生活にあてはめてみると、エネルギー消費量を高めたい場合は駅の階段を昇り、くだりはエスカレーターを利用する、一方、筋をトレーニングしたい場合は逆に階段を降りて昇りはエスカレーターを利用する、となるのです。

6　ダイエット効果はあるか?——階段昇りのエネルギー消費量

前節の「階段昇降」で、階段昇りは息があがってヘトヘトになり、心臓や肺の呼吸循環系にトレーニング効果があるということを説明しました。ここでは、階段を昇るときの身体のエネルギー消費量を計算してみることにします。

例として、前節で用いた四〇階建てのタワーマンションの非常階段を昇ることを考えます。階段一段の高さは一九センチ、一階昇るのに一八段で、四〇階まで昇ると垂直の高さは、一三七メートルになります。私の体重は八〇キロなので、これを自力でもち上げると、一〇七四〇〇ジュールの機械的仕事をしたことになります。ジュールよりもなじみのあるカロリーに換算すると、一カロリーは四・一九ジュールなので二五六三二カロリーとなります。これは、身体の外に出力された仕事なので、体内で消費されたエネルギーを考える場合、変換器としての身体の効率を考慮しなくてはなりません。体内で消費されたエネルギーがすべて機械的仕事に変わることはないからです。階段昇りは、モモの前の大腿四頭筋の短縮性収縮なので、機械的仕事をエネルギー消費量で除した「機械的効率」は約二割であることがわかっています(図6-8)。つまり、機械的仕事の五倍の化学的エネルギーが消費されたことになるので、消費エネルギーは約一二八〇〇〇カロリーと計算することができます。

ここで、身体内で消費された化学的エネルギーの大きさを実感するために、食べ物と比較してみます。ちなみに、マクドナルドのハンバーガー一個のカロリーは二五〇キロカロリーということなので、

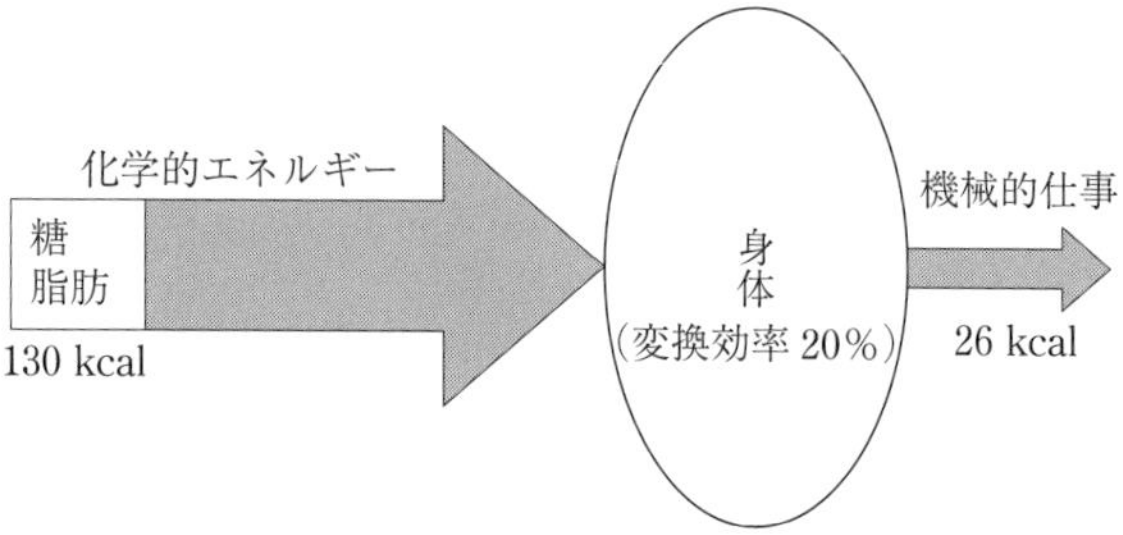

図 6-8　身体のエネルギー変換効率．身体は，食べ物から得た化学的エネルギーで，筋を収縮させて，機械的なエネルギーに変換させる，いわば「エネルギー変換器」ともいえます．この変換効率は，短縮性収縮の場合，20 パーセント程度といわれています．

四〇階まで二回昇ればハンバーガー一個食べてよいという計算になります。ビッグマックは五五〇強キロカロリーなので、一個食べたら四回昇らなければカロリーを消費しないという計算です。運動でエネルギーを消費するのは、こんなに大変なのかということがわかります。ただ、現代人の考え方では運動でエネルギーを消費するのが大変というものですが、逆にいえば、少しの食べ物でたくさんの肉体労働ができるように進化してきた結果ともいえるのです。

ところで、この非常階段四〇階を、ゆっくり昇っても速く昇っても、仕事量は同じです。しかし、昇る速度が違うと所要時間が異なるので、発揮パワーが違ってきます。階段一段一段を一秒で昇ると、四〇階まで一二分かかるので、仕事量を時間で除した発揮パワーが一五〇ワットとなります。これよりもスピードアップして一秒で二段昇ると、所要時間は六分なので、パワーは二倍の三〇〇ワットとなります。エネルギー換算をすると、一階部分に発電機をおき、腰に紐をつけて発電しながら一段一秒で昇った場合、五〇ワットの蛍光灯三本を一二分つけられるという計算になります。

また、四〇階をゆっくり昇っても速く昇っても、仕事は一緒なので消費するエネルギーも同じです。外に出力される発揮パワーが異なった場合、生体内で何が違ってくるかというと、エネルギー源が違ってきます。ゆっくり昇ると糖と脂肪が使われますが、速く昇ると糖の割合が増えて脂肪はほとんど使われなくなります。最近、メタボリックシンドローム解消に、低強度の長時間運動、いわゆる有酸素運動「エアロビクス」が薦められるのは、脂肪をエネルギー源として使用するという意味があるからです。また、有酸素運動は、善玉コレステロールと呼ばれる高密度リポタンパク（ＨＤＬ）も増やし、余分なコレステロールを回収して筋梗塞や脳梗塞を防いでくれることもわかっています。

このように、エネルギー換算すると、力学的エネルギー・化学的エネルギー・電気エネルギーなど様々な指標を、同じ土俵で論議できるので興味が広がります。

7　筋と関節のテコ作用

学校の校庭や遊園地には、子どもが遊ぶシーソーがあります。以前に留学していたフィンランドで、私は子どもたちがそれぞれシーソーの両端で、交互に真上にジャンプしているのを見て驚きました。このシーソーは「テコ作用」を考えるうえで格好の題材です。ここでは、身体の骨と筋をつないでいる関節のテコ作用について解説します。人体の関節は、筋の収縮によるテコ作用によって回転運動を

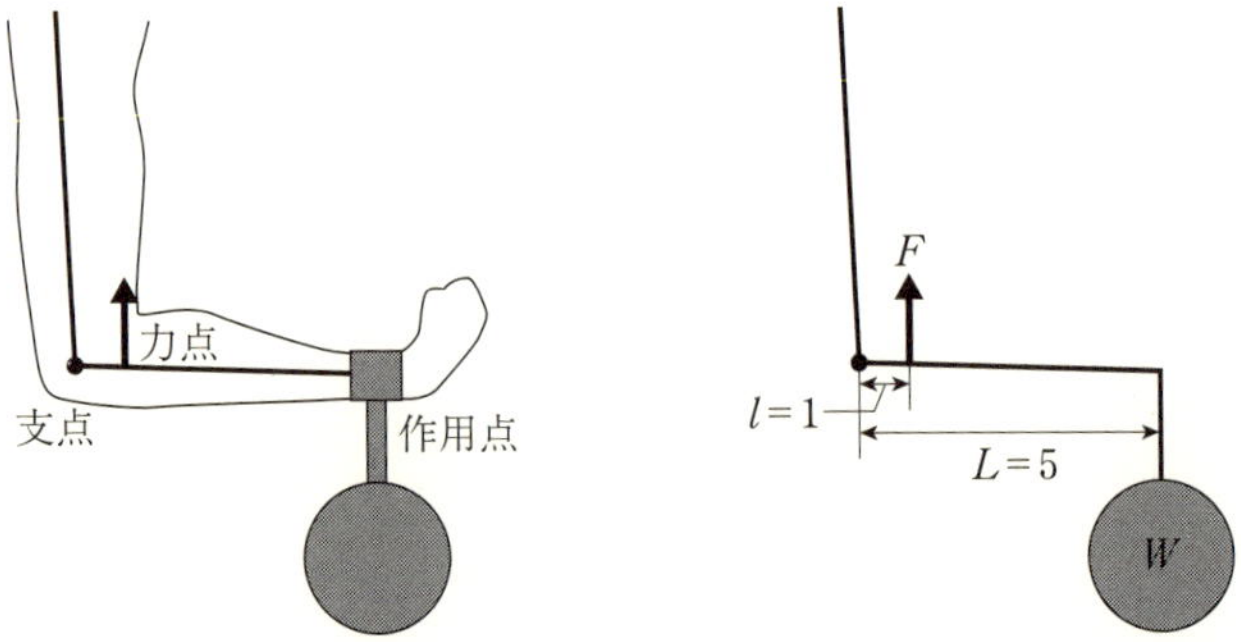

図 6-9 肘屈曲を例にした，筋とテコ作用．支点から力点までを基準にすると，支点から作用点までは5倍あるので，筋力は重り W の5倍の出力を出さないと，この姿勢を維持できないことになります．

引き起こしています。関節の回転中心、つまり軸を「支点」、筋が骨に対して力を発揮する点を「力点」、身体外部に力が作用する点を「作用点」といいます。

肘を直角に曲げて手首にカバンをもっている姿勢を考えてみましょう（図6-9）。支点は肘の関節中心です。カバンが作用点で下に引き下げる力（W）となり、力こぶの上腕二頭筋が力点でカバンを引き上げる力（F）となります。肘の関節中心から、上腕二頭筋の付着部の力点までの距離（l）を基準にすると、肘から手首の作用点までは約五倍あります（L）。わかりやすくするために、カバンの重さは一〇キロ、肘直角で静止しているとします。静止しているので、カバンの重さで手首が下がる肘伸展回転と、筋力でカバンを引き上げる肘屈曲回転は等しくなります。これをシーソーに例えて計算してみると、筋が発揮する力は五〇キロとなります。つまり、一〇キロのカバンをもつときに力こぶの筋は（テコ比が五倍なので）五倍の力を発揮して、シーソーを釣り合わせているわけです。

同じ姿勢で、一〇キロのカバンを「楽に」もつにはどうしたらよいでしょうか。これは経験的に肘に近いところでもてばよいとわかります。カバンを手首と肘の中間にかければ、肘から作用点までの距離が半分になるので、筋の発揮する力も半分でよいことになります。そして、カバンをさらに肘に近づけて力点と作用点を同じ位置にすると、シーソーの腕の長さは同じになるので、カバンの重さと筋力とが同じになります。このように、テコで考えてみると、女性がハンドバッグを肘に近いところでもつのは楽だからということが計算でわかるのです。逆にわざわざ遠いところで重りをもつ場合は、トレーニングなどで筋により大きな負荷をかけたいときということになります。

肘のシーソーと同じように、足関節では、関節中心（支点）とアキレス腱（力点）の距離と、関節中心（支点）と足指の付け根（作用点）までの距離のテコ比は一対三なので、片足で踵を上げてつま先立ちすると、アキレス腱には体重の三倍の力がかかっていると計算できます。このように、様々な姿勢や運動で筋が発揮している力を計算することができますが、運動中の筋力発揮はとても大きいことに驚かされます。例えば、縄跳びのような連続ジャンプで高く跳ぼうとすると、ふくらはぎとアキレス腱は約一トンもの力を発揮しているのです。

テコ比は、肘屈曲やつま先立ちのように、身体の関節ごとに異なっています。テコ比が小さい足関節のような場合は、つま先のスピードを上げることは難しいのですが、つま先で大きな力を発揮することができます。逆に、テコ比が比較的大きい肘関節では、手首で大きな力を出すのは不向きなのですが、手首のスピードを高めるのに有利になる、といえるのです。このように、身体の各関節では、それぞれスピードと力に適した形のテコ比が、長い時間をかけて進化して配置されてきているのです。

8 身体に潜むバネ――腱の機能

骨格筋は太いほうが大きな力を出すことができます。しかし、筋骨隆々でない痩身のバレーボール選手や走り高跳び選手は、重力に逆らって、とても高く跳躍できます。その理由は、ダイナミックな身体運動では、筋と骨格を直列につなぐ「腱のバネ機構」が大きな役割を果たしているからです。本節では、腱のバネについて詳しく説明することにします。

ヒトの身体の中でもっとも大きい腱は、ふくらはぎについているアキレス腱です（図6-10のA）。このアキレス腱は、踵からほぼ膝の近くまで伸びていて、ふくらはぎの上部にある腓腹筋とヒラメ筋で発揮された力を踵に伝えています。このように、骨格筋のほとんどが腱を介して骨に付着しています。コラーゲンで構成されている腱は、外力によって引き伸ばされると自ら縮む弾性体です。バネやゴムといった弾性体において、引き伸ばされた長さと、そのときに戻ろうとする張力の関係は直線関係となり、これはフックの法則として知られています（同図のB）。ヒトや動物の腱も似たふるまいをして、引き伸ばされた長さと張力の関係は二次曲線で近似されます（同図のC）。この傾きが、腱の弾性定数あるいはバネ定数で、一般に腱自体が太いほうが硬いといえます。

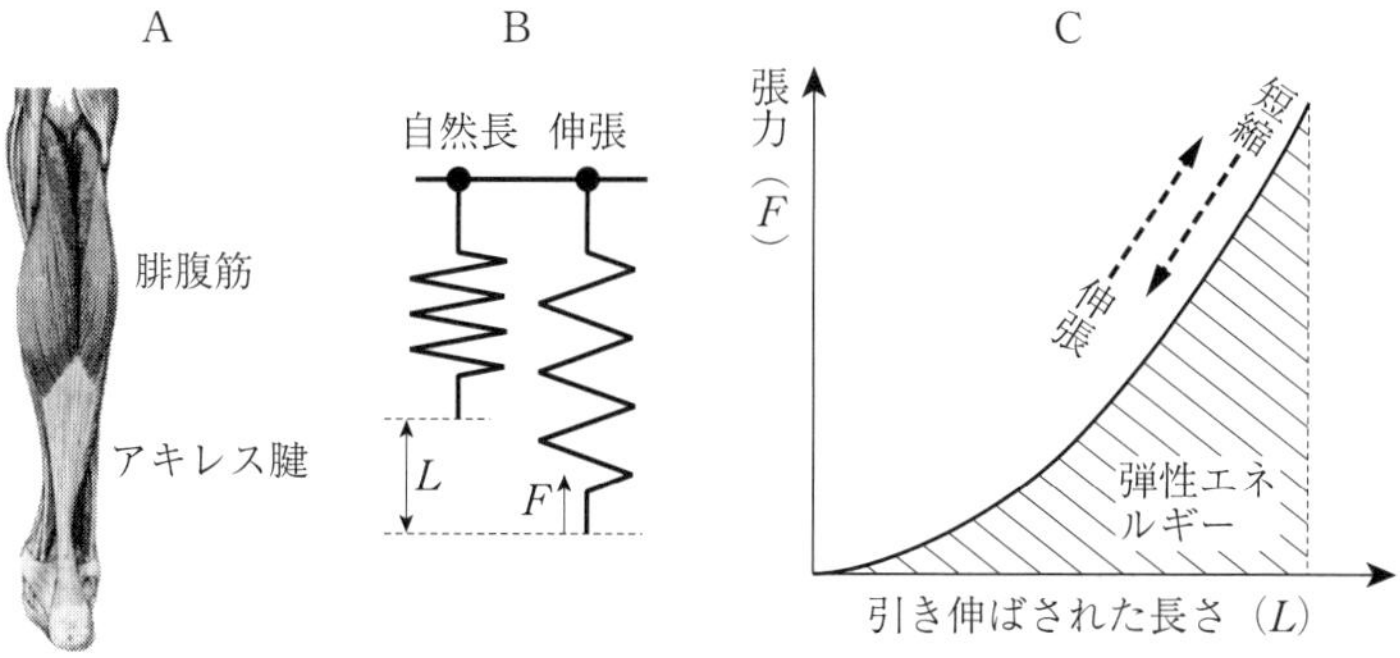

図6-10　**A**　アキレス腱は，身体の中でもっとも大きく長い腱です．
B　バネの伸張の例．通常のバネを引き伸ばすと，その長さに比例した力が発生します（フックの法則）．
C　腱の伸びと弾性エネルギー．ヒトの腱は，引き伸ばされた長さと張力との関係が2次曲線で近似できます．この曲線の下の面積は，腱に蓄えられた弾性エネルギーになります．

ある一定のバネ定数をもつ腱に、外から力が加わって引き伸ばされると、図のCの二次曲線の下側の面積にあたる弾性エネルギーが蓄えられて、次に腱が縮むときに使われます。例えば、縄跳びの一回の着地中に、前半でアキレス腱が引き伸ばされて、後半のキック時に縮むことを考えるとわかりやすいでしょう。この腱がバネとして働き、弾性エネルギーを再利用するというシステムは、身体運動において様々な効果を生みだします。

その効果の一つには、弾性体の腱自体の伸縮は外力によっているので、腱が伸縮しても筋のように化学的エネルギーを消費しないという点にあります。縄跳びで比較的楽に跳び続けられるのは、着地中に、ふくらはぎ全体は伸縮するのですが、その内訳をみると、筋だけは伸縮しない等尺性収縮をしていて、アキレス腱だけがバネのように伸縮しているからなのです。

バネ機構の効果のもう一つは、筋の特質、つまり前述した「力‐長さ」そして「力‐速度」関係において、筋自体が効率よく活動できるように、筋の非効率な部分を腱が伸縮することによって補っているという点です。筋の力‐長さ関係では、筋が力を発揮するのにちょうどよい長さ、つまり至適長になるように腱が伸縮して調整するのです。また力‐速度関係では、筋が遅い速度で短縮するように腱が大きく伸縮して、筋自体が大きな力を発揮しやすいようにしているのです。ただ、腱は受動的にしか働かず、人間が意識的にコントロールできるのは筋だけなので、あらかじめ備わっているそれぞれの腱の特性を生かすように筋が活動しているといえます。

9　身体の柔らかさ――柔よく剛を…

年齢を重ねると関節が硬くなってきてTシャツを脱ぐのに苦労するといった経験をもつ読者も多いことでしょう。一方、若いとはいえ筋量の多いお相撲さんは、長座をして脚を左右に開いた状態で腹を床につけられるほど柔らかい身体をしています。バレエダンサーも新体操選手も、驚くほどの柔軟性をもっています。この身体の柔軟性は、どのような要因によって決まってくるのか、それは改善可能なのか、ここでは身体の柔軟性について解説しましょう。

骨の連結部を関節といいますが、関節全体は関節包で覆われていて、その中には滑液という潤滑油が満たされています。そして、関節は靭帯や軟骨によって保持されています。この関節を屈伸あるいは回転させて限界まで達したときの範囲を「関節可動範囲」といいます。

この可動範囲は主に次の三つの要因で決まってきます。第一には、骨自体の可動範囲です。通常、肘や膝は一八〇度以上伸展しませんが、これは骨の構造によって制限されているからです。次に、この骨による可動範囲は、関節を保護する靭帯の影響によってさらに狭くなってきます。この靭帯が第二要因で、手や足関節が当てはまります。関節をとりまく靭帯が柔らかく伸びれば、骨の可動範囲に近づくことになります。準備体操で、踵を床につけたまま膝の屈伸ができない人は、足首の靭帯が柔らかくないことが原因です。そして、第三要因として筋腱複合体の柔軟性が効いてきます。例えば、体力測定でよく用いられる立位体前屈、つまり直立位から手を前に下げていって床面に到達させる測定では、大腿の裏側の筋のハムストリングスの伸び具合が制限要因となっています（図6−11）。このハムストリングスがなければ、つまり解剖学教室にある骨標本のようならば、誰でも二つ折りの携帯電話のように、ペタッと脚と胸の骨がつきます。

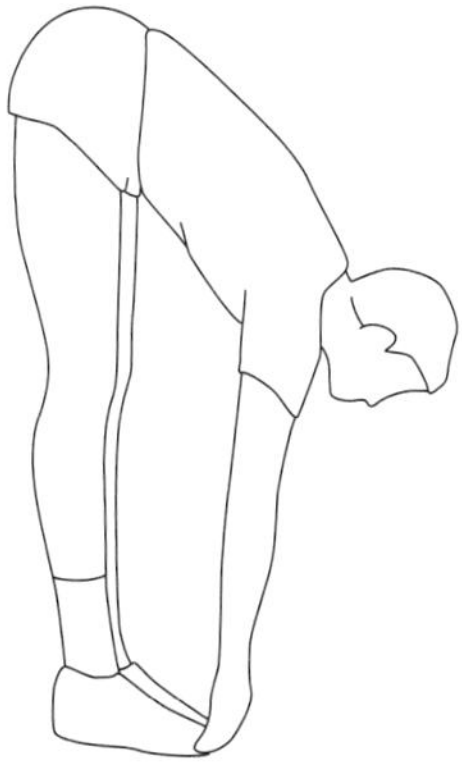

図6-11　関節可動範囲ROM（Range of Motion），体前屈の例．関節の柔軟性は，主に靭帯と筋腱複合体の伸びによって決まります．これは，トレーニングによって大きく改善されます．

逆にいうと、身体の柔軟性は、まずは筋腱複合体の筋と腱の伸びをストレッチさせることで、かなり高まるといえます。これは、反動をつけると生じてしまう伸張反射を働かせないようにする、つまりジワジワと筋と腱を伸ばしてやる「静的ストレッチング」が有効です。次に、関節を支えている靭帯を伸ばしてやることです。新体操選手やバレエダンサーはもともと身体が細く柔らかい人が取り組んでいる可能性もありますが、お相撲さんはもともと身体が硬い人でも股割などのストレッチングによって柔らかくなったのです。なので、身体の柔軟性は遺伝ではなく、生後の環境つまり根気よく静的ストレッチングをやるかどうかにかかっているといえるわけです。これは、身体が温まったときにやると有効なので、ジョギングした後や風呂上がりに毎日やってみれば、二〜三カ月でかなり柔軟性が高まるはずです。

ところで、関節の運動は軸を中心とした回転運動なので、その軸の数によって関節の自由度が決まってきます。一軸関節の肘や膝関節は、蝶番関節で屈曲と伸展だけ行うことができます。二軸関節の手や足関節は、二つの方向に動くことができます。そして、球関節である肩や股関節は様々な方向に動かすことができるので、多軸関節といいます。この軸に関して指導現場の表現が異なる例として、次のようなものがあります。よく準備体操で、手を両膝に当てて「はい、膝を回して……」という運動がありますが、膝は屈伸しかできない一軸関節なので回るはずはないのです。なるほど膝は円を描いていますが、それは足と股関節が膝の円運動を補助しているからだけなのです。解剖学的な知識があると、このような錯覚に気づくのです。

第7章　動きの本質——主観と客観

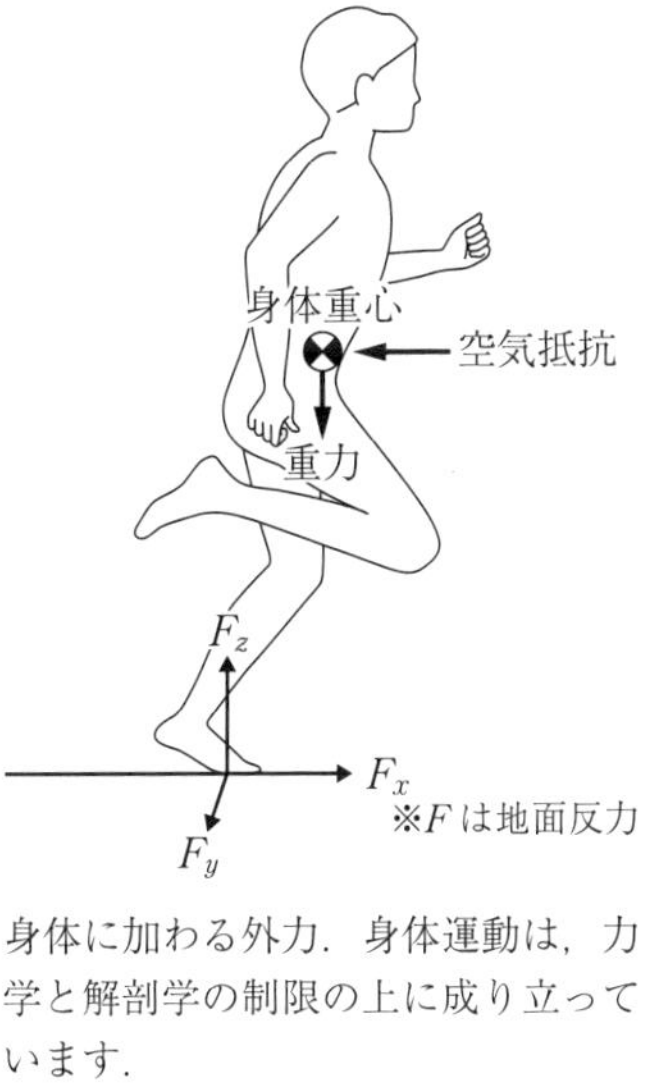

身体に加わる外力．身体運動は，力学と解剖学の制限の上に成り立っています．

私たち人間は、感覚つまり主観で動作を構築します。このときの主観は、筋張力と置き換えてもよいでしょう。筋の張力をコントロールすることで、様々な動作をつくり上げています。しかし、できあがった動作が、合目的的であるかどうかは、客観的にみて評価する必要があります。

動作の客観性というときには、解剖学と力学の観点からみなければなりません。解剖学的にみると、肘や膝は一八〇度以上過伸展しないとか、五階から飛び降りて着地できるような筋力は発揮できないことなど、身体運動は骨格や筋出力の規制を受けています。また、力学的にみると、地球上にいる私たち人間は、外から人間に加わる重力などの外力を受けています。この外力を内力としての筋張力（つまり主観）でいかにコントロールするかで動作が決まってきます。

すなわち、動作を構築する感覚や主観は人それぞれで十人十色ですが、動作の力学的・解剖学的本質はただ一つといっても過言ではありません。本章では、動作を解剖学と力学で評価するバイオメカニクスの研究成果を基に、理想の動き、体幹の役割、関節トルクと関節反力、ロコモーションの特徴、スケール効果、ヒトの身体の進化などについて解説していきます。本章を通じて、動きの客観的な見方を育んでいただきたいと願っています。客観的な見方をもってこそ、感覚で動きをつくる主観が生きてくるからです。

1　バイオメカニクスから考える理想の動き

スポーツにおける動きは、ダーツのような手首のスナップを中心に行う繊細なものから、走・跳・投といった大筋群を最大に活動させて行うダイナミックなものまであります。巧みさ・スキルという観点からみると、前者は微妙な動きをコントロールする「ファインモータースキル」、後者はよりダイナミックな運動をコントロールする「グロスモータースキル」といいます。

身体の動きは、特にグロスモータースキルの場合、解剖学と力学の制限内において行われます。解剖学的には、例えば、膝はいくら伸ばしても一八〇度以上過伸展しないとか、首が一周回らないといったように、骨の可動範囲は決まっています。骨の可動範囲をさらに狭く制限するのは、関節を保持している靭帯と、骨格につながる筋腱複合体です。

さらに力学的に、地球上にいる人間に加わる外力は「重力・抵抗・地面反力」の三つです。陸の上の身体運動では、重力はつねに一定にかかり、向かい風や追い風といった微妙な空気抵抗も影響しますが、大きく運動に影響するのは地面反力です。足が地面にしっかりと着いていて反力を受けるので、様々な運動ができるのです。

この地面反力は、直立位で静止しているときは体重と同じ大きさの力で、足裏から上方向に向かって働いています。身体を上下左右に動かすことで、地面反力の大きさと方向が変化します。この大きさと方向をもつ「地面反力ベクトル」を、左右の足でいかにコントロールするかが力学的にみた運動の土台となります。例えば野球のバッティングやテニスストロークで、一度軽くしゃがんで脚を伸ばすときに、地面反力をコントロールする、具体的には、反動をつけて立ち上がるときの脚の伸ばし方で、腰を水平回転させることができます。これは一般に「腰を入れる」といった言葉で表されてきました。地面反力を受けて体幹の下部の腰を勢いよく回すと、胸や肩の部分の上胴が後ろに残されて体幹が捻転され、この捻転した上胴をタイミングよく引き戻すことによって、胸や肩が勢いよく回転します。このように、脚の踏ん張りと体幹の捻転によって、大きな力学的エネルギーをつくることができます。それを土台にして肩のスピードを増加させれば、投げ動作では、あとは腕をムチのように動かしてエネルギーを末端の手首まで流すことができますし、バッティングやテニスのストロークでは打具の先端スピードを高めることができるのです。つまり、地面反力を利用した脚の動きで腰を回し、その下胴のエネルギーを上胴を通して上肢に伝えるというわけです。

次に、ダイナミックな動作を構成するうえで、身体のどの部分が主働的な役割を果たすかについて考えてみます。例えば、陸上の移動運動で、ウォーキング・ジョギング・スプリント走と、スピードつまり運動強度を上げていくと、下肢三関節の発揮トルクの様相が変化していきます。歩くような運動強度が低い運動では股・膝関節はほとんど働かずに足関節トルクだけでキックしますし、スプリント走のような高い運動強度では、大きな股関節トルクを発揮して脚を前後にスウィングさせます。また、投げる動作でも、ダーツのような強度の低い運動では手関節のスナップ動作が主となり、遠投の

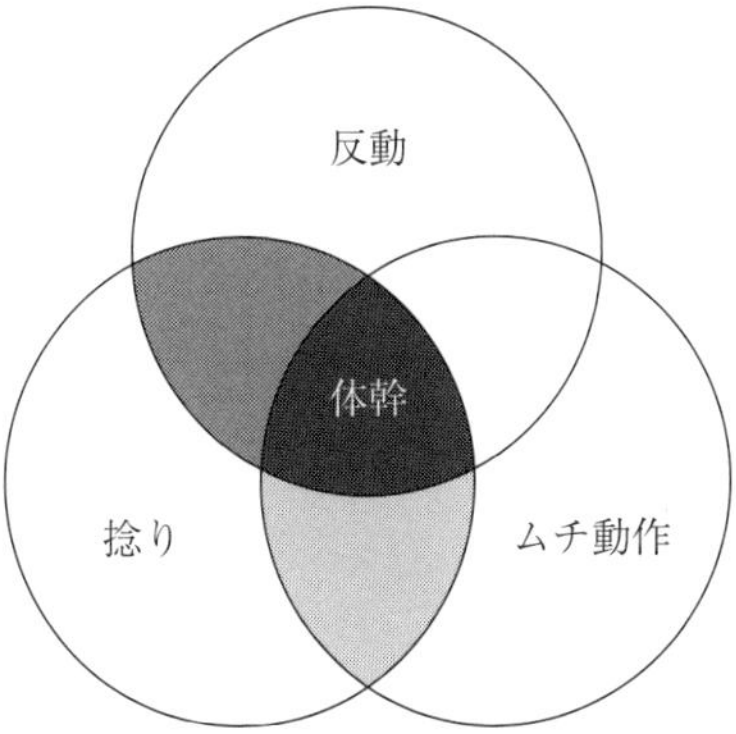

図 7-1　動きの核（深代千之『運脳神経のつくり方』ラウンドフラット，2008）．ダイナミックな動きは，反動・捻り・ムチ動作を巧みに組み合わせることで成り立っています．

ようなダイナミックな投げでは脚と体幹が大きく貢献します。つまり、「運動強度の低い動きほど末端の関節がパフォーマンスの決め手となり、ダイナミックな運動になるほど体幹主導になる」のです。

以上の視点を基に、ダイナミックな運動を構成する「動作の核」をまとめると、捻り・反動・ムチ動作の三つに集約されます（図7-1）。まず、①捻り動作についてみてみます。走る・投げる・打つなどの動作では、地面反力を受けて、骨盤（下胴）と両肩（体幹の上胴）を捻転させた後に引き戻すことによって、体幹で発揮しうるエネルギーを大きくします。つまり、地面反力を利用して体幹の「捻り」を使うことが、ダイナミックな運動の一つの大きな核といえるのです。

次に、②反動動作についてみてみます。スプリント走の着地中の脚の動きは、縄跳びの着地の足首のような、屈伸を伴う反動を用いています。オーバーハンド投げ動作でも、いったん投げる腕を後ろに引いて体幹をそらせて反動をつけてから投げます。つまり、主動作に先行して逆方向に動く「反動動作」によってパフォーマンスを高めているのです。反動動作は、主働筋自体の増強効果、伸張反射の利用、腱に蓄えられる弾性エネルギーの利用など、多くのパフォーマンスを高める効果が秘められています。

そして、③ムチ動作です（第3章2節も参照）。スプリント走もオーバーハンド投げも、四肢の末端スピードが大きいことがパフォーマンスを高めます。四肢の末端スピードを効率よく高めるには、体幹でつくった力学的エネルギーを末端に流すことです。スプリント走では股関節の屈伸でつくられたエネルギーによって脚全体をしなやかに前後に動かし、またオーバーハンド投げでは肩・肘・手首・ボールと徐々にスピードのピーク値をずらすことで、体幹のエネルギーを末端に流します。これを「ムチ動作」と呼びます。

以上より、ダイナミックな身体運動は、「捻りと反動」を「体幹」で行ってより大きなエネルギーをつくり、それを「ムチ動作」で末端に流すことが基本である、というようにまとめられます。

2　巧みな動作をつくり上げる体幹とは

ダイナミックで巧みな動作をつくり上げるために、本書では特に「体幹」の動きに焦点を当てています。この体幹という言葉は、身体の動きの軸などと同様に、最近、トレーニングや指導現場で頻繁に使われていますが、その定義はあいまいなようです。ここでは、本書で核となっている「体幹」の部位と機能について、解説しておきたいと思います。

コラム　コンピュータシミュレーション

コンピュータシミュレーションとは、コンピュータの中に、まず人間の骨格モデルをつくり、そこに靭帯や筋と腱を取りつけます。そして神経入力を調節して適切な筋張力を発揮させて、身体運動を三次元再構築するというものです。我々の研究室では、垂直跳び・立ち幅跳び・歩行のシミュレーションに成功しています。身体全体の動きのシミュレーションが完成すると、個別の変数を変えたときに、身体全体の動作やパフォーマンスがどのように変わるかを推定できるという利点があります。また、人類の祖先アウストラロピテクス「LUCY」の発掘された骨に、筋を取りつけ歩かせるというタイムマシンでもなければ不可能なこともシミュレーションでは可能になります。

近未来には、スポーツトレーニングの現場でも、このようなシミュレーションによって最適な筋のつき方や最適な動作などを確認してから、実際のトレーニングを行う可能性もあります。例えば、ある選手の様々な筋の太さを断層写真ＭＲＩで測定して、その値を筋骨格モデルに入力し、できるだけ速く走れる最適動作をシミュレートします。その動作と実際の動作とを比較して、改善ポイントを探るといったこともできるはずです。また、シミュレートされた動作を基に、どの筋をトレーニングで肥大させたら、より速く走れるかも推定可能となるでしょう。これは我々の現実味ある夢です。

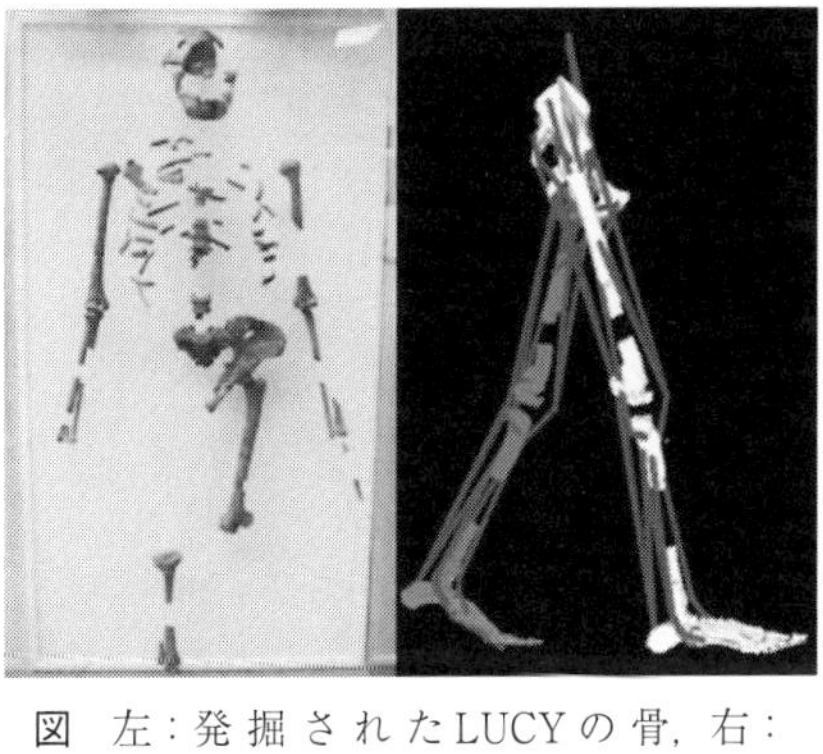

図　左：発掘されたLUCYの骨，右：LUCYの骨格に筋を取り付けた筋骨格モデル（長野明紀博士提供）

解剖学書で人体の区分をみると、広義の体幹は上・下肢（体肢）以外の部分で、狭義の体幹はさらに頭と頸とを除いた部分とされています。つまり、狭義の体幹は、胸部、腹および骨盤から成り立っています。そして、体幹と体肢の境界は、上肢では上肢帯（肩甲帯）、下肢では下肢帯（骨盤帯）とされています。そこで本書では、体幹を身体全体の中で、腕や脚の四肢（つまり脚なら股関節まで、腕なら肩関節まで）、そして頭部と頸を除く、「胸・腹・腰」部分とすることにします。

体幹を構成する骨は、主に背骨と一般に呼ばれる脊柱、肺を覆う肋骨、背中にある肩甲骨、脚の動きを受け止める骨盤があります。それらの骨格を支えている筋は、とても多く複雑に配列されています。まず体幹の中だけで閉じている筋としては、背骨の両脇にある脊柱起立筋、お腹の周りにある腹直筋・外腹斜筋・内腹斜筋などがあります。これらの筋によって、体幹の前屈と背屈、そして捻転が生じます（図7-2）。

体幹に筋の付着部位の起始があって、腕や脚の体肢を動かす筋も多く配置されています（図7-3）。二の腕（上腕骨）を動かす筋としては、背中の上部にあって肩甲骨から上腕につく肩甲下筋、背中から上腕につながる大円筋や広背筋、そして胸の前の大胸筋などがあります（図7-3の上）。そして、モモ（大腿骨）を動かす筋としては、背骨と骨盤から大腿骨につながる大腰筋や腸骨筋があり、モモを引き上げます。モモの裏側にあって骨盤から大腿骨につながる大臀筋やハムストリングスは、モモを後ろにスウィングさせます。そして、骨盤からモモの内側にそって大腿骨につながる内転筋はおもしろい筋肉で、この筋が活動すると、大腿が前にあるときには引き戻し、大腿が後ろにあるときには前に振り出す動きをします（図7-3の下）。

ここで、骨格筋と骨格の動きとの対応関係についてみると、骨格筋が収縮するとそれに対応した関節が動くようにできています。つまり、関節の動きと単関節筋は基本的に一対一の対応をしていて、それぞれの関節運動を引き起こす筋を「主働筋」といいます。例えば、肘を曲げる主働筋は力こぶの上腕二頭筋です。次に、この主働筋と動く骨格部位の関係に注目してください。二の腕の上腕二頭筋が活動すると、それよりも一つ末端の前腕が動きます。前腕の筋が活動すると手部が動きます。下肢も同じで、モモの大腿四頭筋が活動するとスネの下腿が動き、スネの裏側のふくらはぎの下腿三頭筋が活動するとつま先立ちするように足部が動きます。すなわち、骨格筋が活動すると、それよりも一つ先の末端部位が動くように、身体はできているのです。逆にいうと、動いている骨格の一つ上の部分に主働筋があるというわけです。この視点で、スポーツの動きを考えてみてください。スプリント走は脚全体をスウィングさせますし、オーバーハンド投げは腕全体をムチのように動かします。すなわち、脚や腕全体を動かす骨格筋は、一つ上の中心部位、つまり「体幹」に筋の付着部位の起始がついているのです。

体幹の骨格筋群は、筋量としてはとても大きく、身体全体の筋の四〇〜五〇パーセントを占めます。筋量が多いということは、大きな力やパワーを発揮できるということです。ダイナミックな運動では、体幹の主な動き、つまり体幹の屈曲・伸展や側屈、そして上胴（主に肩と肋骨）と下胴（主に骨盤）の捻り（図7-2）を駆使して、大きなパワーを発揮します。そして、そのパワーを四肢に流すことに

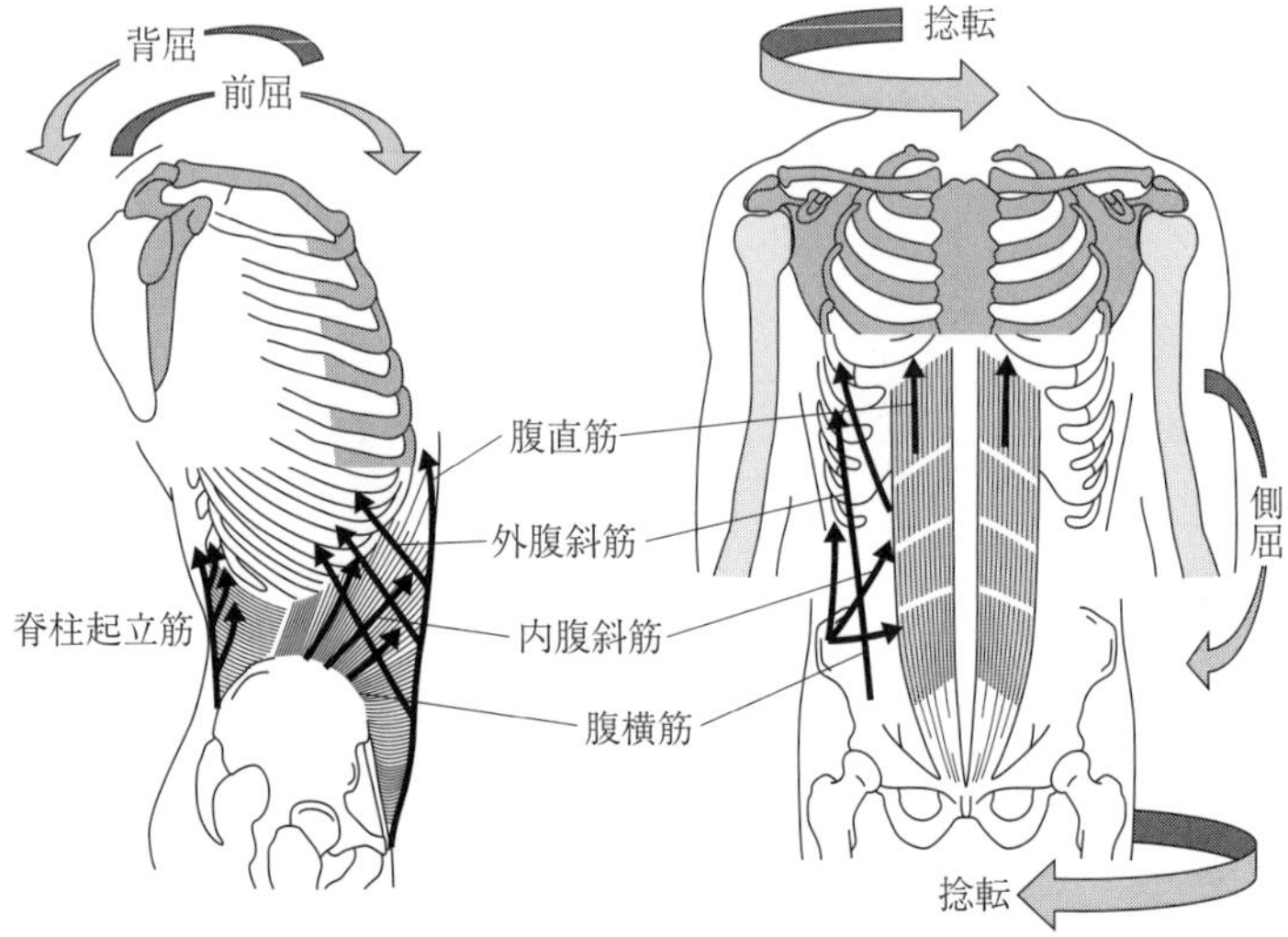

図 7-2 狭義の体幹（胸・腹・骨盤）の中にある筋と動き．体幹には多様な筋が複雑に配列されて，捻転，背屈・前屈，側屈を行っています．

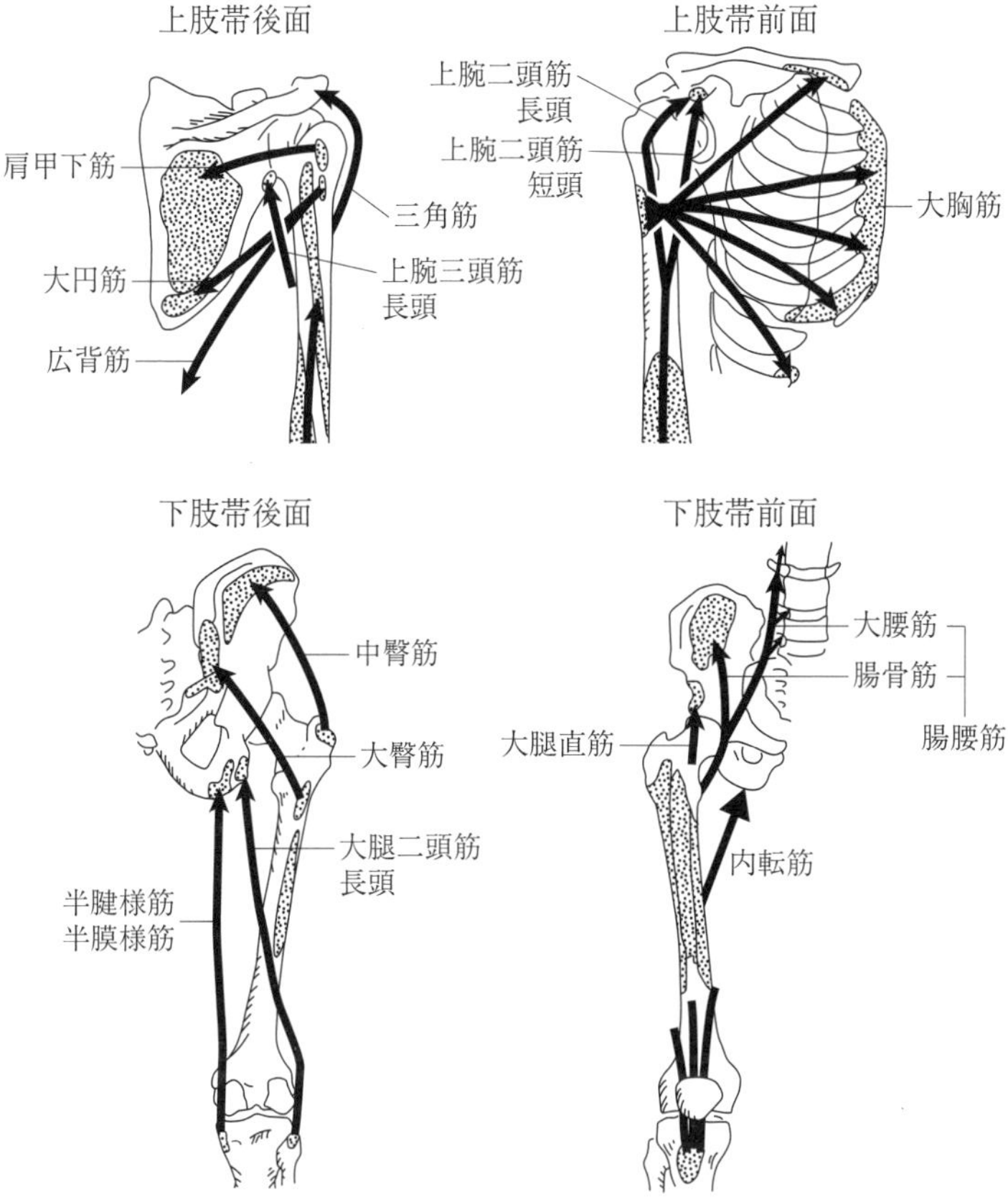

図 7-3　体幹と体肢をつなぐ筋（上図は上肢帯，下図は下肢帯．深代千之他編『スポーツバイオメカニクス』朝倉書店，2000）．体幹に起始をおく大きな筋が腕や脚をダイナミックに動かしています．

よって、ダイナミックな動作を支えているのです。このような視点で、本書は走・跳・投などの動作を読み解き、スキルアップする要点を示しています。

3 力≠パワー——筋感覚と実際の力

スポーツでは、「力」とか「パワー」という言葉が頻繁に使われます。アメフトやラグビーのフォワード同士がぶつかり合って押し込まれると「パワー負けした」、野球のバッターがタイミングをずらされて泳がされたスウィングだったのにホームランになると「力でもっていった」などと解説者は説明します。このような解説は、なんとなくわかるものの、その運動のどこにどのような力が入っているのか、どのようなパワーが発揮されているのかが、よくわかりません。ここでは、運動における力とパワーについて考えてみることにしましょう。

力やパワーといった変数を扱う力学では、それぞれが明確に定義されています。「力」は、作用した物体の状態を変化させる能力をもった量をいいます。例えば、相撲でがっぷり四つに組んでいるときに、片方の力士に加わる力は、自分自身の体重（重力。図7-4中の$\vec{G}$）、地面反力（図7-4中の$\overrightarrow{GRF}$）、そして相手からの力（図7-4中の$\vec{F}$）です。両者が組んで動かない場合は、この三つの力ベクトルの合力がゼロになります。そして、仕事率とも呼ばれる「パワー」は、単位時間あたりにどれだけの仕事が行われたかを表す変数で、力と速度の積（あるいは単位時間あたりの仕事）で求められます。がっぷり四つに組んだ力士が力が均衡していて動かないときは、速度がゼロなのでパワーもゼロということになります。例えば教室で、とても大きな教壇の机を力いっぱい押しているのに動かない状態と同じで、とても大きな力を出しているけれどもパワーはゼロなのです。本書で扱ってきている走・跳・投などのダイナミックなスポーツ動作では、動きながら力を発揮することで、速く走ることができるとか高く跳べるとかといったようにパフォーマンスが決まるので、パワーが重要になるのです。

一方、スポーツ選手本人は、「筋力」を発揮して運動を構築するので、力の出し具合が重要となり、指導現場では「筋感覚」として認知されています。ただし、この筋感覚と、身体の外に実際に発揮されている外力とは異なることもあって、注意が必要になります。例えば、筋感覚と外力が異なってくる例として、次のような条件があります。テコ作用（第6章7節）で例にした肘屈曲九〇度では、同じ外力一〇キロのカバンでも、もつ位置によって筋力発揮は一〇〜五〇キロと差が生じます（テコ作用による相違）。また、肘屈曲角度の相違によって主働筋のモーメントアームが変化して、同じ外力一〇キロのカバンでも筋力発揮が異なってきます（関節トルク–角度関係の影響）。また、高い鉄棒にぶら下がる場合に、同じ体重を保持しているのですが両手よりも片手のほうが苦しく感じます（使用される筋量の相違）。同じオーバーハンド投げでも、軽いピンポン球よりも硬式野球ボールのほうが大きな力を発揮できます（力–速度関係の影響）。

さらに、関節を屈伸させる主働筋にブレーキをかける拮抗筋の影響もあります。主働筋が条件よく

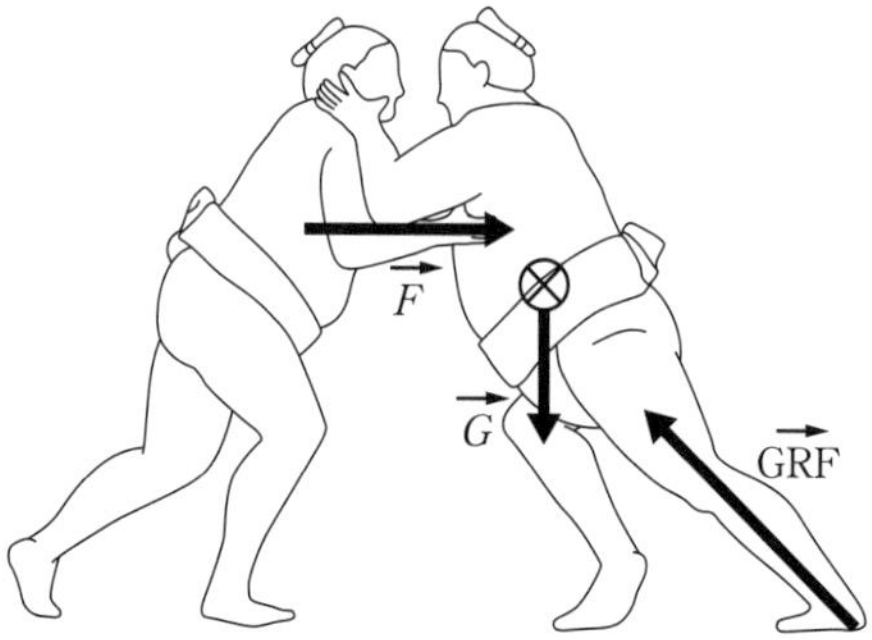

図 7-4 相撲の立ち合いにおける力士にかかる外力は，重力，地面反力，相手からの力の３つです．がっぷり四つに組んで動かない場合は，大きな力を発揮していますが，静止している（速度はゼロ）ので，パワーはゼロです．力とパワーは異なる変数だということを理解しましょう．

活動して、筋感覚としては努力している感じが強くても、拮抗筋が同時に活動してブレーキをかけていたら、外に発揮される力はそれほど大きくなりません。例えば、短距離走では、モモを上げるときには腸腰筋が主働筋として働き、モモを振り下ろすときは腸腰筋がリラックスするというように、一歩で一回のテンポで主働筋と拮抗筋が素早く切り替わらなければなりません。よくコーチから「リラックスしろ！」と声をかけられるのは、拮抗筋を活動させないようにしろ！ということなのです。しかし、この複数の筋活動のコントロールがうまくできない人は、運動会の徒競走で家族などの観客から「ガンバレー！」と声援され、本人が頑張るほど拮抗筋も活動してしまい、頑張った努力感の割には脚がスムーズに動かないという結果になってしまいがちなのです。

以上より、力とパワーは違う変数だということ、そして筋感覚と実際の外力はなかなか一致しないものだということを理解してもらえたでしょうか。すなわち、様々な動作で拮抗筋をリラックスさせて主働筋だけを効果的にタイミングよく働かせるという、合理的な身体の使い方ができれば、実際に大きな外力が発揮されてパフォーマンスが高くても筋感覚は低いということになるはずなのです。

コラム　はっけよい！——相撲の立ち合いの衝突

日本の国技である相撲は、『古事記』や『日本書紀』の力くらべの神記を起源とし、天覧相撲として発展してきました。相撲が、スポーツというよりも、奉納という色彩が強いのはこのような歴史によるものです。相撲のルールは、直径四メートル五五センチの土俵の中で争い、立ち技で土俵の外へ相手を出すか、倒すことによって勝敗が決まります。

相撲の立ち合いと、その直後の身体衝突は非常に重要で、これによって勝負の優劣が決するといっても過言ではありません。この身体衝突は、アメリカンフットボールやラグビーのフォワード選手でもみられますが、アメフトやラグビーよりも相撲の衝突力のほうが大きいといわれています。これは関取力士の平均体重が一三一キロと、アメフトやラグビー選手の体重よりもかなり大きいことに起因しています。アメフトやラグビーのフォワード選手は相手と当たるだけではなくて、自分自身で素早く移動しなければならない場面があるので、力士ほど体重を重くできないからでしょう。この衝突力は、身体重心の速度変化と地面反力を測定すれば、運動量と力積の関係から推定することができます。

4　骨を伝わるパワー——関節トルクと関節反力

身体運動は、基本的に関節の屈伸によっていますが、この関節につながる二つの体節（例えば大腿と下腿）を回転させるのは、「関節トルク」と呼ばれる回転力です。これは基本的に筋力によって生じます。そして身体運動には、もう一つ、関節を構成する二つの体節セグメントの骨端を通じて発生する「関節反力」があります。身体運動の関節の動きでは、この二つの力が同時に生じていますが、動作ごとに、それぞれの力の役割や割合がかなり異なります。この二つの力、つまり関節トルクと関節反力は、それぞれセグメントの「回転運動」と点の移動の「並進運動」に対応しています。ここでは、本書の動きの解説の基礎となる二つの変数、関節トルクと関節反力について説明します。

まず、関節反力からみていくことにします。私たちが両脚で直立姿勢をとる場合、楽に立つことができます。なぜ楽かというと、直立姿勢では、脚の大腿と下腿の骨が縦に直列に並んで、関節で骨と骨が押しあう力、関節反力で身体を支えているため、脚の筋がほとんど活動しないからです。例えば、体重八〇キロの人が、体重計の上に、片脚で直立姿勢をとっているとします（図7-5のA）。片脚で立っても、もちろん体重計の針は八〇キロを指します。そのときに立っている支持脚の、例えば膝関節をみると、その関節を構成する大腿骨と下腿骨とが互いに押しあっていて、支持脚の膝よりも下方の下腿と足部（体重の六パーセント、約五キロ）を除く、上からの体重七五キロを膝で支えています。この関節反力は作用・反作用の関係が成り立つので、同じ大きさで方向が逆の力が生じます。この姿

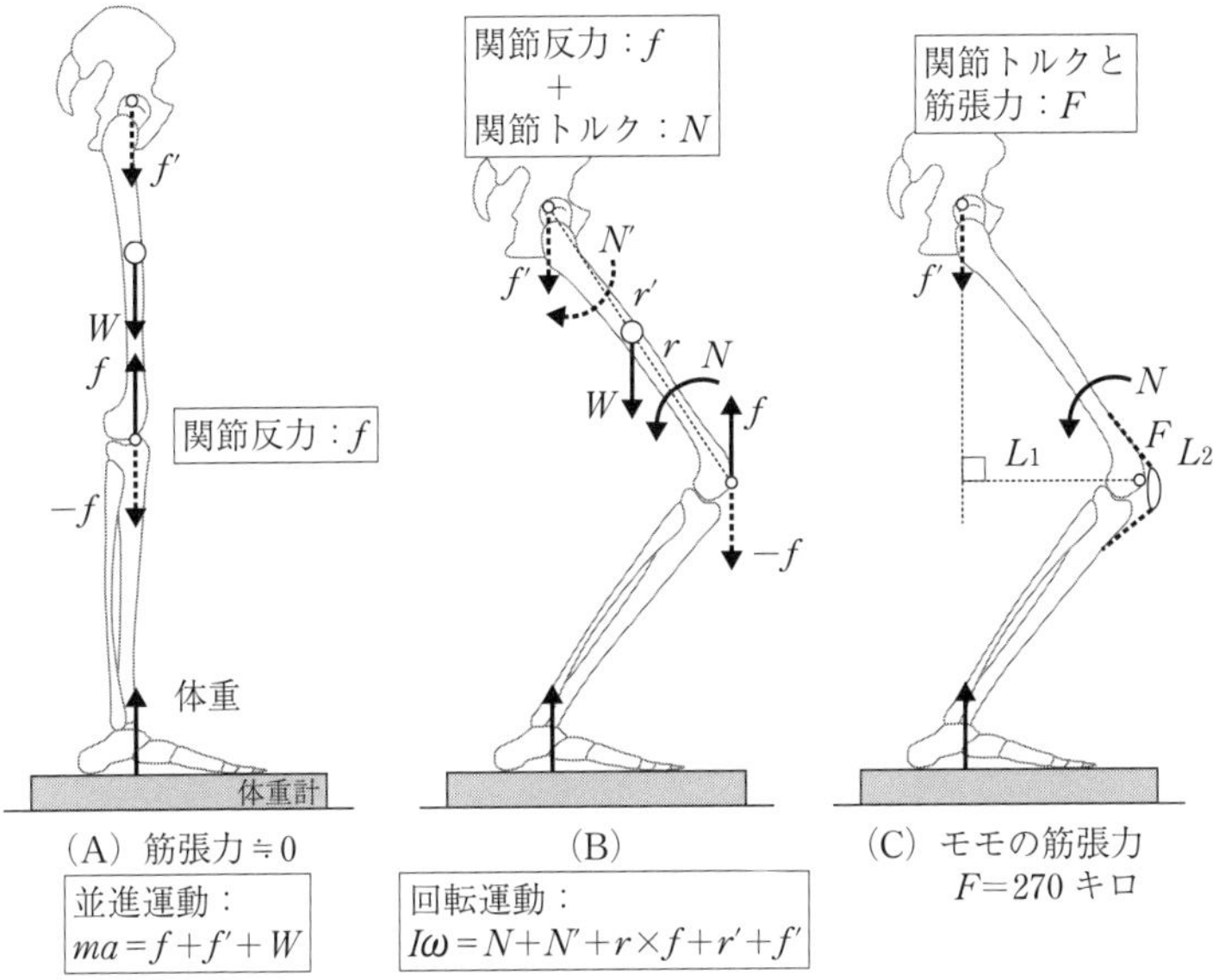

図 7-5　関節反力と関節トルク（大腿に注目した場合：m＝大腿セグメントの質量，a＝大腿セグメントの加速度，f＝関節反力，W＝重力，N＝トルク，I＝慣性モーメント，ω＝角速度，r＝重心から両端の関節位置を示す位置ベクトル）．姿勢によって，関節トルクつまり発揮筋力が大きく異なります．直立立位姿勢と片脚の中腰姿勢で，きつさを実感してみましょう．

勢の場合、ほとんど筋力は必要ないので（理論的には、脚の筋力発揮はゼロ）、バランスさえとっていればよく、力感がありません。

私が昔、競技選手だった頃、筋力トレーニングで、二〇〇キロのバーベルを肩にかついで、下肢三関節を屈伸させるスクワットをした経験があります。このような重りをかついでも直立姿勢の場合は筋が活動しない代わりに、背骨や膝関節の骨がきしむように感じたのを覚えています。また、一〇センチ程度の台から跳び下りる場合でも、脚の膝や股関節を伸ばしたままの踵着地ならば、着地のときの床反力が関節反力を通して頭までガ～ンと伝わるのは予測できるでしょう。

一方、例えば記念写真撮影で、たまたま中段に位置して、膝を曲げて中腰姿勢（同図のB）をとると、その姿勢を維持するのは大変です。中腰の片脚支持なら、さらに大変です。その姿勢でも床の体重計は同じ八〇キロ、膝の関節反力は七五キロなのに、その中腰姿勢では膝を伸ばす関節トルクが、関節反力にプラスして必要となるので大変なのです。

この片脚での中腰姿勢の、膝関節伸展トルクと大腿四頭筋の筋張力を、概略で求めてみます（同図のC）。片脚立ちの中腰姿勢の場合に、支持脚の股関節に上からかかる関節反力は、体重八〇キロから片脚の重さ（体重の一七パーセント、一四キロ）を除いた六六キロ（f'）です。この力の垂線と膝関節中心の長さを二〇センチ（L_1）とすると、膝関節屈曲トルク（N）は一三〇ニュートンメートルとなります。中腰で静止しているので、この膝屈曲トルクはモモの前の大腿四頭筋の張力発揮による膝伸展トルクで支えています。膝関節中心と大腿四頭筋の力ベクトルまでの長さ（L_2）を五センチとすると、大腿四頭筋の力発揮（F）は約二七〇キロとなります。言い換えると、片脚立ちで中腰姿勢をとると、膝を伸ばす筋力は、体重よりもかなり大きい三〇〇キロ近い力を発揮しなければならないことがわかります。

そして、この二つの力は、次のように、二種類の関節を介するパワーになります。

1：関節並進パワー＝関節反力×関節移動速度（関節移動速度は、関節反力と向きが同等）

2：関節回転パワー＝関節トルク×関節角速度

本節で例示した図7-6のAとBは、静止姿勢なので関節移動速度や角速度はゼロ、したがって並進・回転パワーもゼロとなります。しかし、ダイナミックな動作の中では、大きな関節反力と関節トルクとともに、関節移動速度・角速度が大きな値になるので、これらのパワーの使い方が重要になります。この場合の「使い方」というのは、関節を介したパワーの移動という意味です。並進パワーの移動については、関節反力と同方向に関節が移動する、つまり移動速度をもつ方向にパワーが流れます。ボール投げの腕のムチ動作の中で、関節が平行に移動するときは、この並進パワーが大きく流れていることになります。

一般的に、この二つのパワーの使い分けは、次のようにいえます。脚や体幹のように大きな筋がついている関節は、大きな関節トルクや回転パワーを発揮しやすいので、それによって動きの核をつくります。一方、腕のような比較的小さい関節は、関節反力と並進パワーをうまく使い、パワーを流すことがスキルなのです。これらの詳細は、第Ⅰ部のそれぞれの動きの章で解説しています。

5 歩と走をあわせた移動運動——ロコモーション

人間も動物も、移動スピードが遅い場合は歩行、徐々に速くなると、両足が地面から離れる走行になります。この歩と走をあわせて移動運動（ロコモーション）といいます。四足動物の移動では、歩行からスピードを上げていくと、トロッティングと呼ばれる駆け足になり、そして疾走に移ると左右非対称の跳躍に近いギャロップとなります。これに対して人間は、歩でも走でも二脚の左右交互動作という対称型の運動様式を変えずにスピード変化に対応します。その結果、人間は抗重力型の体幹と下肢が発達しました。人間の走動作は、チーターや馬といった動物の疾走スピードに比べてかなり低いレベルにありますが、長時間の歩行に関しては、他の動物よりも人間のほうが優れているといわれています。ここでは、人間に特徴的な二脚の歩と走の移動運動について、その力学的な特徴をみていくことにします。

人間の二足歩行は、極めて効率のよい移動運動で、その気になれば何時間も歩き続けることができます。長く運動を続けるには、化学エネルギーを力学エネルギーに変換する身体の「エネルギー変換効率」がよくなければなりません。この効率は、外部に対してなした機械的仕事量を、身体運動を遂行するときに消費した生理的エネルギー量で除した比率として求められます。同一距離を移動するさいは、走行よりも歩行のほうがエネルギー効率が高いことが知られています。

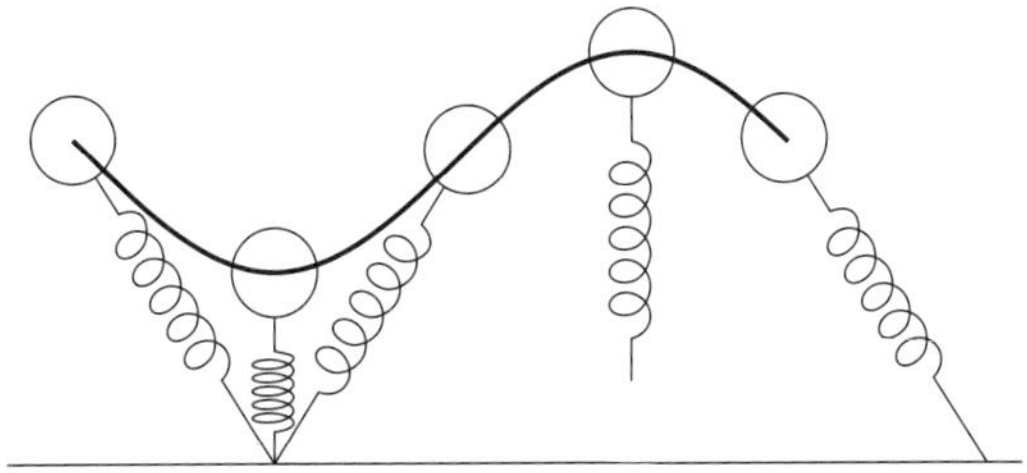

図 7-6　走は弾むボール.

こうした人間の直立二足歩行の効率性を支えるメカニズムは「振り子」で説明することができます。壁掛け時計などで利用されている振り子は、位置エネルギーと運動エネルギーの変換を繰り返しながら動き続けることができますが、人間の歩行動作は、軸足が腰の真下にくるときに、腰の位置がもっとも高くなり（位置エネルギーの獲得）、軸足を後ろに蹴って逆脚を前に振り出して着地するときに、腰が低くなって前方へのスピードが高まります（位置エネルギーから運動エネルギーへの変換）。このエネルギーの相互変換が振り子と似ていて、エネルギー効率が極めて高いというわけです。イタリアの生理学者ジョバンニ・カバーニャ博士は、この歩行のエネルギー変換を、とてもわかりやすい「転がる卵」という言葉で表現しました。この卵はもちろん「ゆで卵」です。ただし、当然エネルギー変換時には若干の損失が生じ、この損失分を筋活動によって補わなければなりません。また、歩行は速すぎても遅すぎても効率が悪く（つまり苦しく）なります。換言すると、エネルギー効率が最大となる至適歩行速度があり、それは一般に毎分七〇〜八〇メートルといわれています。

一方、マラソンに代表される長距離走では、移動速度が毎分一二〇〜一三〇メートル以上になると、歩行よりもエネルギー効率が高くなります。

これは走行の着地時に、腱が引き伸ばされて腱に蓄えられた弾性エネルギーを利用でき、筋がより効果的に活動するためと考えられています。前述の生理学者カバーニャ博士は、歩行の転がる卵に対して、走行の特徴を「弾むボール」と表現しました（図7-6）。

腱に蓄えられた弾性エネルギーをとてもうまく使う動物はカンガルーです。カンガルーは一三メートルの連続ジャンプを行うことができますが、着地の前半で極めて大きな地面反力を足部で受け止め、アキレス腱を伸ばして弾性エネルギーを蓄え、着地後半のキックで再利用します。その結果、カンガルーのホッピング能力は、移動スピードが速くなればなるほど、腱のバネを利用してエネルギー消費量が少なくなる（つまり楽になる）というすごい仕組みとなっているのです。人間も腱のバネ機構を利用して、長距離走が速くなればなるほど、楽になるような動作が発見できるとよいなぁ、と私は夢みています。

6　体長と運動──スケール効果

「山椒は小粒でもぴりりと辛い」、「大男総身に知恵が回りかね、（小男の総身の知恵も知れたもの）」、「うどの大木」などなど、身体の大小を比較した諺は多く、総じて大男に分が悪いといえるでしょう。長身の私には耳が痛い話です。体形が相似形で身長が二倍違う大人と子どもが同じスピードで歩行していたとすると、大人は子どもの二倍のストライド、子どもは大人の半分のストライドで二倍のピッ

コラム　弥次さん喜多さんの歩行

昔の日本人は長い距離を平気で歩いていました。江戸時代の書物『東海道中膝栗毛』によると、主人公の弥次さん喜多さんは、江戸日本橋から京都の三条大橋までの約四九〇キロを二週間程度（一二日）で歩いています。一日の歩行距離はざっと四一キロ、ほぼ毎日フルマラソンの距離を歩いていたことになります。日に八時間歩いたとすると、時速五キロ、分速八五メートルとなります。驚くことに、このスピードはアメリカのニューヨークのビジネスマンよりも若干速いという計算になります。

ただし、この二人は特別足腰が強かったというわけではありません。文中の描写によると弥次さんは五〇歳で太りぎみ。喜多さんは三〇歳。二人とも、特に肉体労働者というわけではなく、ごく一般的な江戸市民だったそうです。また、彼らだけではなく、当時流行していたお伊勢参りの影響で、女性やお年寄りも頻繁に東海道を往来していたといわれています。普通の人たちがそんな長距離を歩くことができた理由として考えられることは、着物を普段着としていた日本人の歩き方、いわゆる「ナンバ」歩きと、道具としての「ワラジ」です。

ナンバ歩きは、第1章でも述べたように右手右足を同時に前に出す歩き方ですが、左右交互動作に慣れた私たちにはなじみません。

もう一つのワラジは日本固有の文化でした。ただ、明治維新の後、西洋シューズが輸入されて、我々の履物はシューズとなりました。シューズの特徴は、着地の衝撃をやわらげる靴底のソールと、足部の上面を覆うアッパーの二点です。ソールは西洋シューズのとても大きな長所ですが、アッパーは、足を保護するという長所がありながら、逆に、足部の動きの自由度を抑えて、足の感覚を鈍化させる結果にもなっています。

温故知新、足の感覚を呼び起こす、昔の履物を再評価することも大切だと考えられます。

チとなり、脚の回転が二倍の子どものほうが素早く見えることは確実です。そして、ピッチが多いということは、方向転換しやすいことにもつながります。スポーツの分野でも、ジグザグ走などは身長が低いほうが素早いと一般的には考えられています。ここでは、身体の大小をバイオメカニクスの観点から考えてみることにします。

人間の運動を考える前に、体長が極端に異なる動物のジャンプを比較してみたいと思います（図7-7）。脚を備えた動物なら、ほとんどすべて跳ぶことができますが、動物で特に優秀な跳躍の名手としては、カンガルー、カエル、バッタ、ノミなどをあげることができます。跳躍の絶対値を競うオープン競技でしたら、約一三メートルを連続ジャンプするカンガルーの優勝ですが、体長あたりの相対値にすると、カンガルーは体長の約一〇倍で、ノミの約二〇〇倍に遠く及びません。

カンガルーや人間の相対的な跳躍距離は、なぜノミにはるかに及ばないのでしょうか。動物の運動解析学者のジェームス・グレイ博士は、次のようにまとめています。跳躍の高さは、身体が地面から離れるときの初速度によって決まり、跳躍の高さは身体の大きさや質量に関係なく初速度だけで決まります。ただ、身体に大きな初速度を与えるには大きな地面への力積が必要ですし、跳び出すときの運動エネルギーを大きくしなければなりません。この運動エネルギーは、跳び出した後の跳躍の頂点で身体がもつ位置エネルギーと同じです。一般に、体重は体長の三乗に比例するので、跳躍に必要な位置エネルギー「体重×重力加速度×跳躍高」は体長の四乗に比例することになります。つまり、ジャンプに必要な脚の筋の重量は、体長の三乗に比例しているので、体長が長くなればなるほど跳躍の

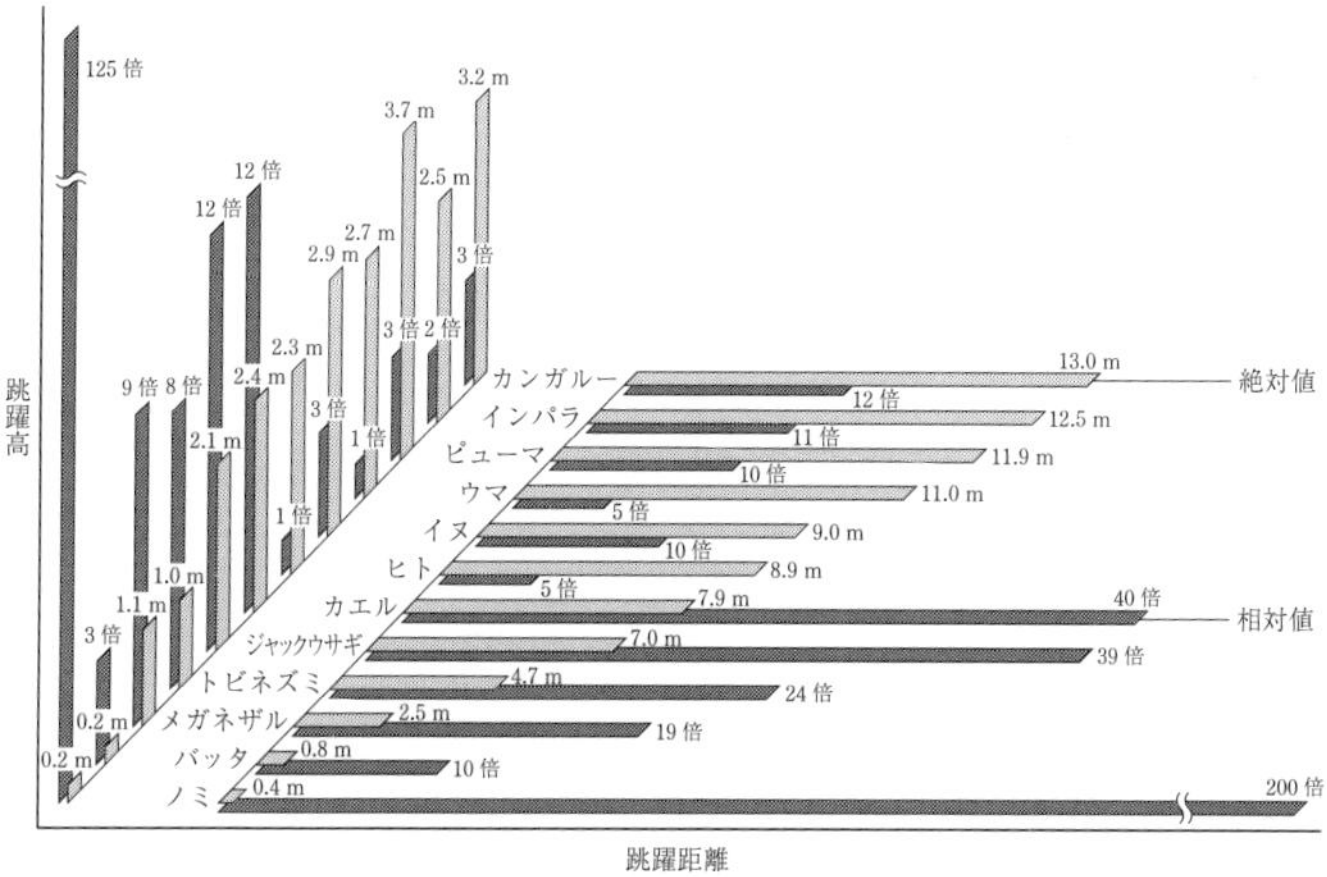

図 7-7　様々な動物のジャンプ．跳躍距離と体長の倍数（深代千之・武藤芳照『じょうずになろうとぶこと』宮下充正監修，評論社，1982）．もっとも遠くへジャンプできる動物はカンガルー，しかし体長あたりだとノミがダントツ．秘密はスケール効果で説明できます．

ための筋量が足りなくなることになります。まさにこの点にこそ、体長の長い動物が、小動物なみの相対的記録を実現することができない理由があるというわけです。

カンガルーの身体はノミに比べて何百倍も大きいので、ノミが三〇センチ跳ぶさいに使われるノミの筋肉一グラムあたりのエネルギーの何百倍ものエネルギーをカンガルーが供給したときに初めて、ノミの体長の倍数と同じだけカンガルーが跳べることになるわけですが、このようなことは現実としてありえません。グレイ教授は安全性因子を保持して跳躍できる人間や動物は、大型の動物であればあるほど、それだけ加速度が小さく、踏切時間は長くなるのだから、実はサイズに関わりなしに同じ高さしか跳びえないものであるべきなのだ、と結論します。これは、ノミのジャンプ三〇センチと、人間の垂直跳びの五〇センチを考えれば、おおよそ理解できるでしょう。

筋肉量が多いゾウはジャンプできないどころか、一度転んだら立つことができません。このスケール効果は、様々な動物を巨視的にみたものですが、人間の場合、身長の低い人、体重の軽い人のほうが効率よく跳ぶことができることになります。大人と子どもを比較すると、身体の小さな子どものほうが効率よく跳べるのは間違いなく、跳ぶという動作を手軽に楽しめるのは大きな大人よりも小さな子どもだといえるのです。ただ、身体の大きさがほぼ同じ大人同士、あるいは子ども同士の場合は、スケール効果よりも筋力や反動・捻り動作といった身体の使い方が、ジャンプに大きく貢献します。

7 ヒトの身体構造の進化

原始時代は、速く走れないと、獲物を獲ることができず、襲いかかる動物から逃げることもできませんでした。また、戦国時代の戦でも攻守関係なく走れなければ、生き延びることはできませんでした。黒澤明監督の映画『七人の侍』の一人、林田平八が野武士との戦に備えて村人を教育する場面で「攻むる時も走る、退く時も走る。走れなくなったら死ぬ時だ」という台詞もありました。したがって、人間は速く走れるように身体自体が進化してきたといってよいと思います。特にこれは、一定の地域に定住してきた農耕民族の日本人よりも、動くことが基本の狩猟あるいは騎馬民族の西洋人に当てはまることだと推定できます。ここでは、身体が生存のために適応して進化した結果、どのような

コラム　小さいからこそ活躍できた「なでしこジャパン」

二〇一一年のビッグトピックは、女子サッカーワールドカップで、なでしこジャパンが、奇跡ともいえる逆転試合を連勝して優勝したことでしょう。このチームの活躍に日本全体が大フィーバーしました。なでしこジャパンに対する多くの評論は、決勝トーナメントのドイツ・スウェーデン・アメリカといった長身のチームに対して、平均身長で劣るなでしこがよく頑張ったというものでした。しかし、なでしこジャパンは身長が低いからこそ活躍できたということを、ここで指摘したいと思います。

体形が相似形で身長が二倍違う二人（例えば、大人と子ども）が同じスピードで走っていたとすると、大人は子どもの二倍のストライド、子どもは大人の半分のストライドで二倍のピッチとなり、子どもの脚の回転は二倍になります。ピッチが多いということは、方向転換しやすく、ボールにタッチする頻度も二倍になります。つまり、ジグザグ走もドリブルも、身長の小さいほうが有利になるのです。また、身長が二倍違うと、面積は二乗の四倍、体積は三乗の八倍となります。筋力は筋の太さつまり面積に、体重は体積に比例するので、身長が大きくなればなるほど、その体重を動かす筋力が足りなくなるのです。これを「スケール効果」といいますが、小さいからこそ素早く動けるという理屈なのです。だから、ヘディングなどを除けば、なでしこジャパンは小さいからこそ活躍できたといえるのです。ペレ選手やマラドーナ選手あるいはメッシ選手も比較的小さいことを考えれば容易に理解できるはずです。これに対して、体形が似ている韓国や中国との対戦では、スケール効果は関係なくなるので、ボールコントロールのスキルや戦術などが鍵になるのです。

形態になったのかを考えてみたいと思います。

ヒトの身体は、一般にモモと呼ばれる大腿のほうよりも、ふくらはぎの下腿のほうが筋肉が少なく小さい構造となっています。これは、走る動作のように脚を振りまわして運ぶときに有利に働きます。というのは、脚を振る場合は、回転中心の腰から距離が遠い下腿のほうが大腿よりも大きく速く動きます。大腿と下腿が同じ重さだったら、下腿のほうが速度が大きいので運動エネルギーが大きくなってしまうのですが、下腿の質量が小さければ、その分小さい運動エネルギーですむのです。だから、大腿よりも下腿が細く進化してきたのです。さらにいえば、同じ体節セグメントの中でも、上部に質量が集まっているほうが、それぞれの四肢を移動させる運動エネルギーは小さくてすみます。ふくらはぎをみるとわかるように、筋肉はスネの上部つまり膝の近くに集まっていて、そこで発揮された力を長いアキレス腱で踵まで伝えています。

また、スプリントボディデザインのところ（第1章2節）で指摘したように、身体の骨の長さはほぼ遺伝で決まっていますが、骨を動かす筋肉はトレーニングによって肥大したり萎縮したりします。なので、下腿よりも大腿、大腿よりも股関節回りの体幹というように、身体の中枢に筋を集めるということは、環境因子としてのトレーニングで変えうるものなのです。

特に、この同じ体節セグメントの中の筋自体の形態がトレーニングによって変化するという、私自身が驚く研究結果がありました。久野譜也博士が、サッカー選手と陸上スプリント選手の大腿の筋の太さと形状を断層写真ＭＲＩで詳細に調べたところ、サッカー選手のモモの筋（大腿直筋）はバラン

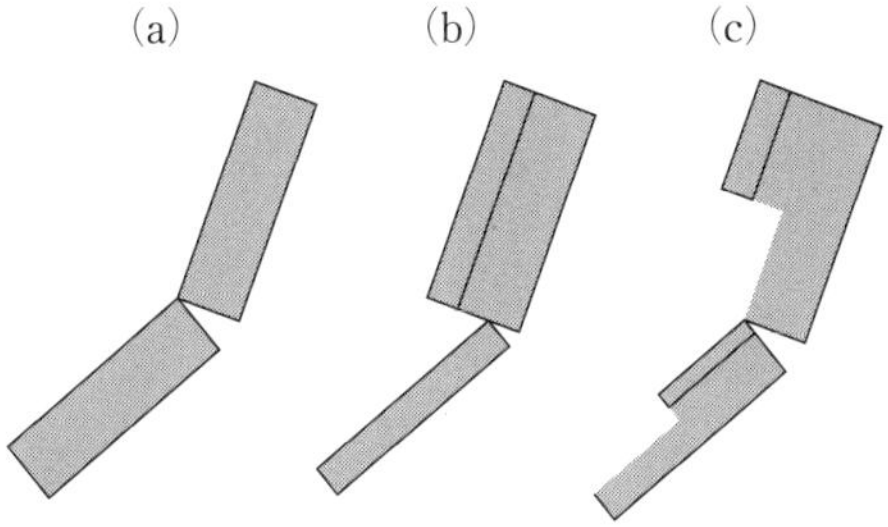

図 7-8　大腿と下腿のモデル．(a) 大腿と下腿が同じ大きさのモデル，(b) 下腿の半分の質量を大腿につけたモデル，(c) それぞれのセグメントの下方の半分を上方につけたモデル．身体の形は，素早く動けるように進化してきました．

スよく肥大していたのですが、スプリント選手は一つの筋の中で上部が肥大して下部はそれほどではないという結果だったのです。一つの筋が張力を発揮するとき、その張力が骨に伝わる部分は、骨への付着部位の起始と停止の二カ所だけです。なので、その二カ所に張力を伝える場合には、筋がどのような形をしていてもよいのですが、方向転換走のようなジグザグに動くサッカー選手と異なり、直線をできるだけ速く走るスプリント選手は、大腿において「上部への質量の集中」ということを、一つの筋の中で成し遂げていたというわけです。なぜ、このような形状ができてきたかということを考えますと、脳を中心とする上位中枢からの指令が、一つの筋の中で満遍なく伝わるのではなく、筋の上部に集中して伝わったからにほかならないのです。このような事実を基にしていえることは、練習でただ単に走るのではなく、走り方や力の入れ具合をどのくらい意識して走っているかという日々の積み重ねが重要だということになります。

おわりに

二〇世紀後半の科学技術の発展は、階段からエスカレーター、鍬からパワーシャベルなど、人間の身体運動の軽減を生みました。現代の日常生活は、電化製品が身体労働にとってかわっているといっても過言ではありません。これによって生まれたのが、運動不足による生活習慣病やメタボリックシンドロームです。この運動不足解消のために推奨されているのが、ウォーキングやジョギング、そして筋肉トレーニングです。その実践のために、四〇年前では考えられなかった「金を払って疲れにいく」トレーニングジムで、いくら漕いでも進まない自転車エルゴメーターを漕いだり、機械の枠に入った重りを何回も持ち上げたりしているわけです。一般の人々が、これらの運動、つまり持久トレーニングや筋肉トレーニングを続けるのはなかなか難しいのが現状です。なぜ難しいかというと運動自体が面白くないからです。その運動を続けた後のメリットがわかっていても、つまらない運動を続けるのは苦痛です。

では、運動を続けるにはどうしたらよいでしょうか。昔、私が子どもの頃に、友達とカン蹴りや三角ベースボールで遊んでいて、暗くなっても家に帰りたくなかったのは、遊び自体が面白くてもっと続けたいと思ったからに他なりません。遊びが面白かった理由は、仲間と相談して遊びそのものを面白く工夫をしたこととともに、遊びの中の動きが「うまく」なることがありました。例えば、サッカーのボールリフティングで二・三回しかできなかったのが簡単に十数回できるようになる、野球のバッティングでチャンスにヒットが打てる、剛速球をねらったところに投げられる、などです。自分のスキルが向上することは面白いので、皆で集まって遊ぶ以外の時間に、自ら一人で秘密練習をしたものです。

かといって、今の社会状況を四〇年前の環境にもどすのは不可能です。したがって、今は「教養として」スポーツを楽しむことをしなければならないといえるのです。教養としてのスポーツの楽しみ方の一つは、動きのメカニズムとスキルアップの背景を理屈で理解する「〈知的〉スポーツ」です。そして、それを基に実践してみることです。本書は、その理論とやり方を、最新の研究成果を基に、できるだけわかりやすくまとめました。ぜひ、子どもの頃にスポーツを学びそびれた大人も、本書を熟読し、もう一度童心に帰って、巧みさの獲得を頭と身体で楽しんでもらいたいと願っています。それが結果的に、運動不足解消と健康維持につながるからです。

本書では、巧みさ・スキルは生後の練習つまり環境によって決まるという論調を通しました。環境を支えるスポーツ科学は、バイオメカニクスは基より、運動生理学・トレーニング科学・栄養学・医学など様々な分野があります。そのスポーツ科学が極まり選手個々人の環境を完全に整えたら、その後の個々人のパフォーマンスの勝敗は、もともと身体に備わった遺伝子勝負になります。そういう意味では、オリンピックや世界選手権で競う選手たちは、環境が究極に整備された状態での遺伝子勝負であるということができます。しかし、科学によって「完全に」環境要因が整えられるかというと、それは今でも未来でも不可能です。だからこそ、努力という環境が体切で、また両者、つまりスポーツと科学はほどよい距離を保てるのだとも思います。

ところで、スポーツ動作を科学的に研究してみたいと、私がこの分野の扉を叩いた三〇年前は、バイオメカニクスという学問自体が力学の運動への単なる応用であったり、機能解剖学の解説であったりと未熟でした。しかし我々は、動きの実験と研究を重ねながら「バイオメカニクス」を自分たちの手で、学問として育んできました。そして今日、様々なスポーツ動作をエビデンスを基に解説できるところまで発展させることができました。ここでいう「我々」とは、日本および国際バイオメカニクス学会会員を指しています。私は会員の一人として両学会の仲間に感謝し、本書をバイオメカニクス研究を発展させた親愛なる研究者に捧げたいと思います。

最後になりますが、本書の作成にあたり、二部構成にすることや章立ての再編、そして校正など、様々な観点から私を支えてくれた東京大学出版会の丹内利香氏に深く感謝いたします。丹内氏の支援がなかったら、本の完成にまでたどり着くことはとうていできなかったと思います。また、本書の原稿が形になったところで、私の研究室の大学院生の稲葉優希氏・岡本有珠砂氏・鹿嶋藍氏に読んでもらい、忌憚のない意見をもらいました。その指摘によって、より読みやすい本になりました。彼女たちにも感謝して、本書を閉じたいと思います。

【引用文献】

甘利俊一、伊藤正男、井ノ口馨、山口陽子「記憶は脳のどこにあるのか?」『ニュートン』、二〇〇七年二月号。

金子公宥『スポーツ・バイオメカニクス入門　第3版』杏林書院、二〇〇六。

桜井伸二『投げる科学』大修館書店、一九九二。

時実利彦『脳の話』岩波書店、一九六七。

時実利彦『脳と人間』雷鳥社、一九六八。

平野裕一『打つ科学』大修館書店、一九九二。

深代千之『跳ぶ科学』大修館書店、一九九〇。

深代千之ら編著『スポーツバイオメカニクス』朝倉書店、二〇〇〇。

深代千之、柴山明『スポーツ基礎数理ハンドブック』朝倉書店、二〇〇〇。

深代千之ら『スポーツ動作の科学』東京大学出版会、二〇一〇。


*右の文献は、本書執筆にあたっての主要な書物です。本書は、学術論文ではなく啓蒙書であるために、詳細な引用文献を本文中に記載していないことをご了承ください。

タ　行

索　引

ア　行

カ　行

サ　行

著者紹介
1955年群馬県生まれ．東京大学大学院教育学研究科修了．博士（教育学）．東京大学大学院総合文化研究科教授．日本バイオメカニクス学会理事長．国際バイオメカニクス学会元理事．公益財団法人日本陸上競技連盟元科学委員．身体運動を力学・生理学などの観点から解析し，身体運動の理解と向上を図るスポーツバイオメカニクスの第一人者．
主著：『スポーツ動作の科学』（共著，東京大学出版会，2010年），『スポーツのできる子どもは勉強もできる』（共著，幻冬舎，2012年）など多数．
研究室 URL　http://idaten.c.u-tokyo.ac.jp/~fukashiro/

〈知的〉スポーツのすすめ　スキルアップのサイエンス

2012年4月16日　初　版

［検印廃止］

著　者　深代千之《ふかしろせんし》

発行所　財団法人　東京大学出版会

代 表 者　渡辺　浩

113-8654 東京都文京区本郷7-3-1 東大構内
電話　03-3811-8814　Fax 03-3812-6958
振替　00160-6-59964

印刷所　株式会社三秀舎
製本所　矢嶋製本株式会社

ISBN 978-4-13-053700-1　Printed in Japan